文化叢刊

龍應台當官

——一位記者的三年採訪實錄

◎蔡惠萍 著

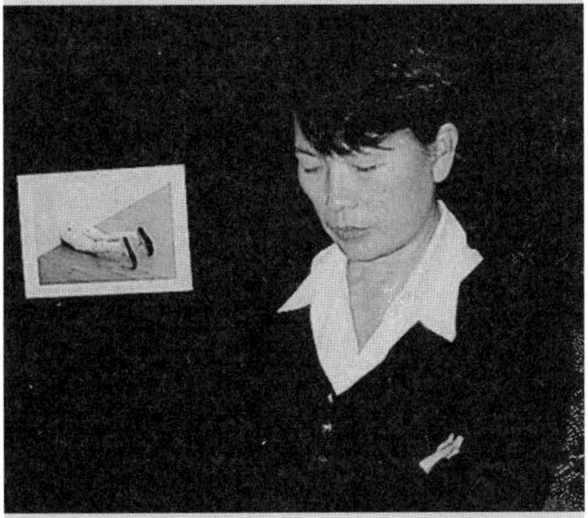

左上方這張是三年前台北市文化局長龍應台掛在辦公室內的圖片，圖裡的人只剩下半身，上半身則深陷牆中，她形容這就是「龍應台當官」。

自序

文人本色——「龍應台當官」！

這曾是三年前台北政壇轟動一時、文壇奔相走告的大事，因爲大家很難忘卻一九八〇年代「野火」時代的「憤怒少年」龍應台，即使在離台旅歐定居，開始寫《人在歐洲》、《看世紀末向你走來》、《乾杯吧！托瑪斯曼》觀照面逐漸擴及至歐洲社會的「知識青年」龍應台，強烈的批判因子從未在她的血液中消失，只是漸漸地從表面的反抗到深沉的反思。

只是，這一回她跌破衆人眼鏡，在離開台灣十三年後，以另一重身分回到台灣，喜歡挑戰世俗眼光的龍應台可說是出了一張最不按牌理的牌，成就一齣她曾自嘲的「荒謬劇」，果然戲劇效果十足。

龍應台當官三年來，的確爲沉悶與制式的官場帶來不少話題與「生氣」，做爲全台首位文化局長，龍應台的開創性格也沒讓人「失望」，一言一行間輕易地贏得媒體注意，不可避免地也掀起層層波瀾與重重爭議，不論是作家還是官員，龍應台永遠帶著兩極評價與毀譽參半。這點，她倒是「一路走來，始終如一」。

於是不免讓人納悶，龍應台究竟是個什麼樣的人？有人說她「驕傲」、「理想化」，但也有人感受到她的「創造力」、「柔軟」、「有骨氣」的另一面，其實這都是龍應台。更精準的說法是，正因這些強烈的文人性格造就了今天褒貶不一的龍應台。

正因爲色度鮮明的文人本色，讓龍應台的思維模式、行事作風總是那樣引人注目。若說「個性決定命運」，回溯龍應台這三年來的爲官歷程，的確徹底地體現、應驗這句話。

龍應台當官三年究竟在歷史光譜占據了什麼樣的位置，或許就如這句老生常談卻不失中肯的話：「文化是百年大計」，站在目前歷史的軌道上立判高下、是非，其實不盡公允與客觀，就把那把尺留給史家與後世，筆者無意亦無權執握春秋之筆。

這書只是試圖從龍應台的性格出發，來解析、還原牽動所有故事、衝突事件背後那條細長、看不見卻又劇烈拉扯的「文人性格」，至於「歌功頌德」或「揭人瘡疤」都是下筆之際腦中一再亮起的警示燈號。透過這本書，或許你可以認識的不只是「文化局長龍應台」，還有「作家龍應台」，及「龍應台」。

目次

第四章

附錄

第一章

人．文人．龍應台

魯迅必須從神壇上拉下來。

——龍應台

龍應台是一個什麼樣的人？過去在作家的身分及光環的籠罩下，龍應台保留了相當大一部分的「私領域」，作家可以完全地隱藏自我，「躲在洞穴裡」僅以一隻筆面對世界，所以不喜曝光的龍應台在多年前《野火集》一書狂銷熱賣百萬冊後，很多人連她是男是女都搞不清楚，甚至國家圖書館華文作家的資料裡，還將「龍應台」認定爲她的筆名，本名才是她的筆名「胡美麗」。

龍應台的低調還包括婚姻生活與另一半，即使在她少數描述親情的《孩子，你慢慢來》一書中，她還刻意挑選一張德籍丈夫推著娃娃車背對鏡頭的畫面。她的用意很簡單，身爲作家，她已無可避免地曝露內心世界，至於家人及自己都極少曝光，只透過文字發聲，無非希望保留多一點的隱私。

不過，這一切在她出任公職、不得不大量曝光後劇烈改觀，讓她相當不能適應的是，漸漸地走到那裡都有人認得她，對於她神秘、外界向來揣測多多的婚姻再度引起高度好奇，而她強大的「自我」也被迫遭到「攻城掠地」。

在大陸，很多人讀了龍應台的作品第一個就會聯想到魯迅，兩者間的寫作風格、犀利眼眸有著若隱若現重疊的身影，有趣的是，卸下作家光環、走下雲端的龍應台，就像她認爲必須從神壇上被拉下來的魯迅一般，龍應台也有凡人的一面，過去高高在上的作家及指點江山的知識份子身分中不被察覺或是凸顯的性格，如今都一一具現。

「人」味很重的人

「我是個很混亂的人，對朋友極好極溫柔；但在公領域裡頭，尤其在寫作、面對社會時，我就整個人變成一個大腦。這兩者對我而言，完全沒有矛盾。我自認爲我是一個感情相當充沛的人，但又同時是理性絕對發達的人。」這是龍應台的自剖，這樣一個「混亂」的人在他人眼中映現出的是何種「面貌」，而這特質又如何牽動她在行使、分配權力時所做下的決策？

「龍應台是一個『人』味很重的人。」樂山文教基金會執行長丘如華用一句很有想像空間的話來形容龍應台。什麼是「人味」很重？比如她是一個對人性抱持高度樂觀與理想性的人，因此常常莫名其妙摔一大跤，往往跌得鼻青臉腫才明白「一種米養百樣人」顛撲不破的道理。再加上她從來沒有在政府組織中「打滾」的經驗。這種個性往好處走，她可以帶來新思維、打破陋規，另一方面，也難免有理想過高的時候。

最典型的例子就是她剛上任時，發現台北四周都築起高聳又醜陋的水泥堤防，切斷人與河流的關係，讓她相當不以爲然。因此她就疾呼要恢復「山水台北」，希望讓人容易親近台北的好山好水，進而消滅台北市違反自然的都市景觀。

只是天眞如她卻沒料到，台北堤防的出現有它地理與歷史的「必要之惡」，浪漫的、玫瑰色的想法只能留在心中，人民生命財產的安全才是眞正要被擺在前頭的現實考量。再者，她用西方的作法對比台灣，希望也能達到人與環境融爲一體的親密互動，卻忘了兩者間立足點的大不同。

經過實際的運作後，她自己也發現當中的窒礙難行，要用三年來扭轉過去三百年所造成的現狀是近乎天方夜譚。諸此種種，讓她漸漸認清現實與理想間不可跨越的鴻溝。

從《野火集》以來，龍應台對社會現象乃至現在的公務體系，她向來抱持「根本性懷疑」及「不接受成規」的態度，包括凡是牽涉到法令、制度面的更是明顯。當部屬告訴她，「按照規定好像是不可以……」她就會要求對方一定要把白紙黑字的條文拿給她看，而她也不接受公文上承辦人員簽上「擬存查」的字眼，她會退回，要部屬去研究，不輕易妥協是她性格中相當強烈的一部分。

另一方面，長久以來以來寫作、評論所培養出的「一雙冷眼」，也讓龍應台能夠在繁複且糾纏的事件中很快地就找到問題所在，不過，能夠看出問題不見得就能解決問題，在很多的時候，明白癥結所在卻無力改變的龍應台只能感慨自己的工具太少、時間太短。

正因爲不輕易妥協的個性，讓她在面對許多事件時容易給人強悍、獨斷的觀感。「她對自己執持的標準充滿自信，甚至會放不下身段去分析造成她不喜歡的現象的因果循環，對看不慣的事也缺乏耐心去辯談；她依然習慣因情緒文字簡化她討厭的東西，卻吝於多付出一點同情」這是《新新聞》總編輯楊照從文字觀察她的性格，在從事行政工作時同樣的人格特質亦是「如影隨形」。

這般的執傲，不論是對內或對外，在講求圓熟、人和方能政通的官場上，龍應台的確因此吃了虧、跌過跤，樹立不少顯性或隱性的敵人，也讓她的評價更趨向兩極化。

不過，在大多時候果斷、無論當作家或母親時都相當獨立的龍應台，其實是一個很依賴「人」的人。比如，每當她有任何外出行程，一定會問一句：「今天誰陪我去？」不是因爲她愛擺陣仗，而是她對於陌生的環境有著超乎外人想像的不安全感，不像過去只是單純的作家，無論是接觸的人或事，多數都在可意料或選擇的安全範圍內，在她身分轉換之後，那怕只是幫忙拿資料、電話，她都要有熟悉的人在身邊。

雖然龍應台習慣使用電腦等高科技產品來寫作、通信等，但在生活上卻還處在「初級班」的階段。一方面，因她的工作占去太多的時間與精力，另一方面她會極度依賴她所信任的人，例如文化局局長室有個秘書，在工作上不只幫她安排行程、約會，甚至在生活上這位年紀比她還小的秘書還會幫她添購日常用品、貼身衣物等，龍應台依賴她的程度與情感連自己都說「不像秘書更像是我的媽」。

剪髮記

由於龍應台離開台灣的時間甚長，因此剛回來還曾發生「喫米不知米價」的狀況。回台之後就忙得昏天暗地，某個星期日她下午「只有」一個會議，而且就在住家附近。近午時，她悠閒地出門散步，邊逛邊往開會地點走去。走著走著，她發現一家設計感還不錯的美髮沙龍，下意識攏攏自己好幾個月沒空整理的頭髮，決定進門打理打理門面。

一坐下來，髮廊小姐就認出了她，還興奮地說自己是她的讀者，當時龍應台還相當欣慰，心想，連美髮小姐都看她的書「這個社會還是蠻有希望的」。於是在相談甚歡的情況下，龍應台也從善如流地接受設計師的建議，幫她燙一個「據說」很符合她氣質的「黛安娜王妃頭」。

在兩個多小時的又剪又燙後，龍應台頂著還算滿意的王妃頭準備離開，匆匆一瞥帳單上的數字「嗯，七百七十元，還算合理」，於是她掏出了一千元等著找零，沒想到，半天沒有動作的對方卻「提醒」她：「局長，總共是七千七百元」，龍應台像是被狠狠地從頭頂澆下了一大盆冷水豁然「醒」了過來。

初回台灣的龍應台曾剪了「黛安那王妃頭」。

她睜大眼仔細一看帳單，她居然少算了一個零，這時她腦中的計算機開始「答答答」地換算新台幣七千七百元是馬克多少錢，這一算，不得了，「哇，我的天，這麼貴啊！」那時她還納悶著，是不是自己離鄉背景太久，對於台灣物價沒有概念，太大驚小怪了？

一抬眼，瞅著正衝著她笑得一臉甜美、手持帳單等待的「讀者」，一問之下還不接受刷卡，她趕緊把口袋裡的所有的錢都掏出來。彷彿冥冥之中已注定，不多不少，剛好身上有的數目就是這麼多，於是當她「千金散盡」之後，就在沙龍裡員工一字排開「歡迎再來」的殷殷目送下「逃」了出來。

「重見天日」後，看看離開會的時間也差不多，於是她便頂著新髮型和滿腹問號走向目的地。開完會後，身無分文的她還把副局長黃才郎拉到角落，赧然地開口向他借兩百元坐計程車回家，黃才郎一問之下才知道她方才發生的事情，「哎呀，妳被騙了啦，台灣的物價雖然高，可是也沒那麼離譜」。第二天去上班時，龍應台把這樁「奇遇記」當成笑話講，最後得到的結論是，她剪的不是什麼「王妃頭」，而是她根本是當了「冤大頭」。

「龍應台剪髮記」傳開後，除了有人特地到文化局還欣賞她的「王妃頭」外，到了外面，還有熱心的民衆告訴她「局長，我知道那裡剪頭髮又便宜又好看，下次我帶妳去！」也有市府局處首長向她半認眞半打趣地說，那家店漏開發票，要找稅捐處的人去查帳，也算替她「報仇」。沒想到，這麼一問才發現，她不僅忘了（或是根本沒注意）那家店的店名，連在那條路、位置都忘得一乾二淨，成了徹頭徹尾的「無頭公案」。

在生活上，已屆五十知天命之年的龍應台就像一個十五歲半大不小的孩子，剛開始，她還經常發生早上出門忘了帶鑰匙，半夜被鎖在門外的窘事，有次還打電話向住同一棟大樓的消防局長張博卿求援。後來，她乾脆就把另一份備用鑰匙放在樓下一位「陳太太」身上，每每只要晚上十一、二點，陳太太家的門鈴響起，陳太太的反射動作就是拿起龍應台家的鑰匙幫她開門。

還有一回，夜半時分龍應台在家寫了一封「家書」傳眞回德，傳眞後不到五分鐘，就立刻接到馬英九的電話「哎，妳剛剛是不是有傳眞東西？」「對啊，你怎麼知道？」「因爲妳傳到我家來了！」龍應台大叫一聲，覺得自己眞得糗極了，怎麼會搞出這種的烏龍，而且市內與國際號碼差距那麼大怎麼會搞混？更糟的是，龍應台與丈夫間都是用英文溝通，等於馬英九也能「一目瞭解」。

原來，習慣以傳眞方式對外聯繫、溝通的龍應台，在她腦袋的「分類」中，市長跟丈夫都是屬於「晚上傳眞」類，因爲，下了班後，她經常有業務需要或意見得向馬英九報告或討論；同樣的，她也以此方式把想到一些事項寫下來傳眞回德。沒想到，她的「習慣動作」卻弄出大紕漏，幸好家書內容只是提醒丈夫一些關於孩子的事情等尋常瑣事，否則龍應台大概會挖個地洞鑽下去。

這些都還不算什麼，當了局長之後的龍應台還不只一次發生過，臨出國時匆忙抵達機場準備check in時才發現護照、機票全擺在家裡的烏龍事。不甚高明的生活能力，也讓龍應台對於人的依賴便愈發深厚。

除了是個「迷糊大王」外，龍應台也是一個「孩子氣」極重的人，喜歡熱鬧、充滿好奇，無論到什麼場合她總要呼朋引伴。矛盾的是，一方面她害怕孤單，另一方面又極度保護私領域，固若金湯般地隔絕外界的滲入。

她對很多事情都抱著新奇眼光，例如有次她到金門旅行，經過一棟廢棄老房子，渾身上下流竄著冒險細胞的她不但一頭鑽進門「探險」，還在滿地「垃圾」中挖寶，拾到了好幾張黑白放大、泛黃破損的家族照片讓她如獲至寶，直嚷著要帶回去好好收藏。

「會跑的起士蛋糕」

來台一年後，那時，文化局剛過完成立一周年的生日，沒有時間逛街、渴望好好放鬆的她決定買輛車「慰勞」自己，讓她得以自我放逐，就像從前在德國，每當心情不好時，就會開著車不知盡頭天南地北地開去。龍應台形容，她最愛的就是一邊是玉米田一邊是山坡的那條德國鄉間道路，然後在車上讓音樂包圍，沉浸在這一方屬於自己的天地裡，也是紓壓的最佳良方。

這個想法冒出頭後令她沉悶的心情爲之大振，於是在一次假日的採訪行程中，她興奮地告訴身旁的秘書：「待會兒行程結束後，我們『順便』去買輛車吧！」語氣之輕鬆就像順道去百貨公司買件衣服般尋常。

龍應台還特地指定購買與她在德國家中同款的車——一輛被她形容像一塊「會跑的起士蛋糕」、由賓士代理Smart黃黑相間的小跑車。當行程一結束，她就迫不及待地催促著身邊的人「趕快走吧！」，一分鐘也無法等候。

於是，一行人分乘兩輛車一前一後地出發，好不容易七繞八轉尋尋覓覓後，展示廠的招牌遠遠地出現，這時恰好遇到紅燈，停在後方的龍應台簡直就像一鍋沸騰的水，連忙催促司機：「你可不可以衝過去？」完全忘了停在她前面的可是她秘書的車。

從詢問、決定下單購車歷時約僅半小時，最後她以五十萬元分期付款的方式決定買下她期盼多時的商品，以實現她勾勒美好的畫面。等到相關文件簽妥後，再也按捺不住雀躍的她忙問代理商「現在我可以把車開走了嗎？」經過代理商解釋仍須經申請車牌、保險等相關程序起碼三天後才能眞正上路，「這麼麻煩啊，在德國買了就可以開走呢！」失望不已的她只好乖乖坐著司機的車抱憾而去。

回到車上，龍應台還給秘書一項「任務」：幫她找一條有山有水最好還有樹的路，每當她心情低落或下班後，可以獨自一人開著車聽音樂奔馳在路上，「最好，還要離市政府不遠！」不過，一旁的幕僚想一想搖頭對她說「要找到這樣的路恐怕有點難」。不過，已完全沉浸在「女性自主」喜悅中的龍應台可不受影響，只希望能夠盡速快樂上路。

過了幾天，車終於到她手上，但她還是忙得沒什麼機會開這輛「起士車」，百分之九十五的時間「小黃」都是在市府停車場或是她家樓下安穩地停放著。有天早上，她決定要自己開車上班，沒想到，卻就此展開一段「城市大冒險」。

住在信義路三段的她離市府車程約僅十分鐘，她照著「印象中」司機平時行駛的路線，沒想到她卻不小心開往與市府逆向的仁愛路，從此「一失足成千古恨」。她在小巷裡東鑽西繞，不過卻怎麼也繞不出來，還開進了市場裡，跟一大群買菜的婆婆媽媽幾次上演驚險的「擦槍走火」。

好不容易終於開到了大馬路，一抬頭，赫然發現她幾乎就要衝進了雄壯巍峨的總統府，原本要到仁愛路底的市府卻開到仁愛路頭的總統府，讓膽量十足的她也不禁慌了手腳，連忙打電話回辦公室求救，折騰了大半天才開到市府，原本十分鐘的路程也足足花了一個小時。

不過，龍應台並沒有因此打退堂鼓，當天她就要幕僚幫她準備一份台灣地圖，她決定「摸著石子過河」，「幻想」著總有一天能縱橫馳騁在台北街道上，擺脫路癡一族。但時經兩年，龍應台還是沒辦法實現她「城市遊俠」的夢，台北市的路依舊沒認得幾條。

至於這輛車，命運可就更加多舛，老是被冷落就算了，最後還不得善終。就在龍應台買車的隔年，二〇〇一九月，文化局舉辦「台北國際詩歌節」，九月十七月那晚，龍應台在國聯飯店主持一場國內外詩人的朗誦會，結果當晚「九一七」納莉風災來襲，台北幾乎成了水城，市政府也是受創嚴重的受災戶，地下停車場淹水，停在地下二樓的「小黃」不敵洪流慘遭滅點，兩天後才「出土」，小黃早已面目全非「生命垂危」。

後來，車廠的人將車輛拖吊、送修，結果車廠估價得花上十萬元才修得好。在旁人的建議下，她決定把這輛出廠不到一年、里程數不到一千公里的「新古車」以十一萬元的代價賣給車廠。算算，這輛無緣的「起士車」與她的緣份連十個月都不到。

保有童心的龍應台有時卻也難脫孩子的「任性」。例如，她經常向熟識的記者抱怨，她沒有機會出去走一走，嚷著要大家幫她找「好玩的地方」透透氣。由於她「很當一回事」地再三叨念，因此幾個記者專程爲她在新店山邊找了家得先預定人數與座位的特別的餐廳。

結果到了約定時間的前一小時，她的秘書臨時打電話告知，她要陪幾位前去北美館參觀的文化界人士聚餐，所以「不來了」，於是主辦者只好緊急聯繫餐廳取消部分座位。又過了半晌，秘書再度致電表示，她覺得跟他們吃飯「不好玩」，她改變心意想要到新店，一小時內，她總共反覆三次。最後，記者們決定「不理她」，按照原定計畫進行，後來，她還是出現了。

還有一次，今年九月間，龍應台應連江縣長陳雪生之邀前往馬祖參加「文化同學會」，在當地被奉爲上賓。她在陳雪生的領隊下登上「閩珠一號」進行北竿海域之旅，近距離觀察大陸。由於馬祖與大陸最近距離僅十餘海哩，因此不消十幾分鐘的船程，大陸黃歧沿岸景物清晰可見，街道、商店幾乎用肉眼就能目睹，讓多次前往對岸訪問的她還是不由得大呼：「我看到大陸了！」

她在興奮之餘一再地要船「再近一點！再近一點！」直到陳雪生踩煞車說「眞得不能再近了，否則麻煩就會來了」，她還試探性地問經常前往對岸考察觀光的陳雪生「能不能帶我下船去看看？」得到一個「當妳不當局長，我就帶妳去」不甚滿意的答案後，又一連問了五、六次「縣長，你要不要再考慮一下？」

毋怪乎陳雪生要「堅守最後防線」，因爲此舉實在太過冒險。雖然目前兩岸已經實施「小三通」，即使是金、馬地區的民衆還是得經申請、批准才能直接搭船登「陸」，否則不僅可能會被對岸扣留，還會違反「國家安全法」，更何況她還是位居要津的政務官，公務員帶頭違法可是罪加一等。

除了官方身分外，早在今年六月龍應台原欲前往大陸南京訪問，卻因發表六四相關言論引發中共不悅，因此在臨出發前緊急喊停。想想，她連搭飛機登陸對方都不准了，更何況是坐著船未經任何手續就踏上人家的地盤？

不死心的她還打電話給馬英九半認眞地說「我能不能從馬祖去大陸？」馬英九則要她問陳雪生，並告訴陳雪生一句「意味深遠」的話：「做你想做的事」，最後當然沒有上岸，否則可能又會惹來一陣狂風巨浪。

撇開私領域裡不按牌理出牌的言行舉止，在龍應台的身上很多人可以嗅聞到很重的文人氣，尤其是五四運動的啓發和影響更是深遠，她常說她自己不像是活在現代的人，身體裡住著八十年前五四時代文人的靈魂，她當初願意接下官職，多多少少受到中國知識份子「以國家興亡爲己任」的思想所牽動，她的文人氣還包括知識份子強調的「氣節」與必備的「傲氣」，這樣的性格在她身上也極爲突出。

龍應台相當重視「操守」，例如，曾有議員質疑，她在一次應邀赴瑞典考察後順道回德探親的機票是由公家負擔，龍應台一聽立刻跳出來，她最無法忍受有人挑戰她的廉潔，因此立刻調出相關文件證明；又有一次，龍應台在三天之內往返台灣、德國參加兒子的成年禮，時間之短促令議員起疑，「那豈不是撞到牆壁就回來了？」，懷疑她「短報」，實際請假的時間絕對不只三天，氣得跳腳的龍應台也立刻調出白紙黑字的資料佐證「眞得是撞到牆壁就回來了」。

直率的文人性格

此外，從她對台灣拼音政策的爭議也可看出她「路見不平、有話直說」、敢衝敢撞的個性。二○○○年十月，台灣當時正爲究竟採「通用」或「漢語」拼音，兩派爭執不下，當時教育部國語推行委員會決議中文譯音日後將採通用拼音，龍應台對於教育部這項決定相當不苟同，甚至以「乾脆實施鎖國政策算了！」抨擊教育部此舉無異自斷台灣華文文化發展的後路。如此一來，對大多數學習漢語拼音作爲華文輸出翻譯的國外學者而言，勢必被迫捨台灣就北京，台灣的文化危機將無以復加。

龍應台認爲，使用通用或漢語拼音不僅在於路名「外國人看得懂不懂」，而且牽涉到整個台灣華文面對國際的文化問題。她以一個旅外多年的華文作家觀察者角色表示，台北與北京長久以來處於華文的競爭當中，雖然許多學習漢學的國外學者仍認爲「北京爲華文正統」，但因爲台灣較爲開放、自由，因此，不少國外學者仍會選擇台灣作爲學習漢文的起點，繼而將漢文作品翻譯、輸出，讓國際認識到台灣作家及其作品。

龍應台說，一旦台灣選擇通用拼音，而捨棄大多數國家採用的漢語拼音，無異將所有的外國學者推往北京學習漢文。龍應台以「新鎖國政策」來形容新政府的這項決議，如此一來，台灣將自外於世界文化之外，從政治封鎖到文化封鎖，「台灣要用什麼面對下一世紀？」，「諾貝爾文學獎將永遠與台灣絕緣」。當時，她還以極其嚴厲的口吻說，一旦教育部的政策拍板，她一定要聯合市府教育局、民政局發出最嚴正的抗議，呼籲教育部不要一意孤行，否則「將是砍斷台灣走向國際的雙腳」。

龍應台的直率抨擊曝光以後，隔天一早就接到市府高層「關切」的電話，認為她「話說得太快、太猛」，因為雖然市府也是站在傾向採取漢語拼音的立場，但應由市府統一步調、發言，尤其她不客氣地批評教育部，恐怕又會惹來中央、地方的對立與嫌隙。即使很多人認為龍應台的談話「直指核心且大快人心」，但為了避免招致無謂爭端，她也變得更加地謹言慎行，漸漸地將過往作家龍應台的身影隱藏起來。

做為長期觀注、重視歷史的知識份子，龍應台有她極為感性的一面。對於在日據皇民時代活躍、以日文寫作傳達殖民地心聲的台籍作家，在台灣光復之後因政治大環境翻轉及「省籍不正確」等，被執政者「刻意擦掉」，這批以日文寫作的台籍作家從此湮沒沉寂，成為失落晦暗的一代，這一段蒼白的歷史令龍應台份外感傷。

其中，「阮若打開心內的門窗」歌謠作詞者本名為王榮生的作家王昶雄，可說是這段過渡時期文人的代表人物，也是龍應台相當敬仰的作家。二〇〇〇年一月一日王昶雄因胃癌病逝，享年八十六歲。與王昶雄素未謀面的龍應台在報上得知王昶雄過世的消息，對於身處大時代劇烈轉換、驟失文學發聲喉舌的台籍作家老兵命運，更加感慨不已。

因此，她不僅請人送上弔唁花圈，她還隻身前往隱身在中山北路陋巷中猶住在日式房舍中的王家上香祭拜，王昶雄年邁的妻子同時也是畫家的王太太（林玉珠），剛開始還不知道上門的人是何許人也，等到王昶雄的兒子向母親解釋龍應台的身分與心意後，令老太太相當驚訝卻也感念不已。

龍應台步上狹窄、吱喀作響的木製樓梯，向設在二樓簡樸靈堂捻上一柱清香，凝視著黑白放大、目光炯炯的照片人物，氤氳香煙在斗室中瀰漫一片，嗆著人幾乎涕淚欲流。作爲作家，龍應台一定要來這一趟，對她而言，這是知識份子的良知問題。

對於弱勢，龍應台向來有著一顆極柔軟的心，像兒童、老人或是殘障者，她不僅實際的互動上展現她的溫柔與軟性，在實際的行動上，她也把「文化權的平等」當成施政的重點，爲弱勢者爭取親近藝術的機會與權利。

一段鮮爲人知的往事相當能展現龍應台的人文關懷。

二〇〇一年二月間，台北市公車處司機林敬揚在衡陽路行駛公車時，被一根意外掉落的大鋼筋插入，在急救多日後仍告不治，林敬揚身後遺下孤兒寡母，處境堪憐。

那時，剛好是諾貝爾文學獎得主高行健應文化局之邀來台擔任駐市藝術家期間，身爲主人的龍應台爲此事忙得昏頭轉向。事發後幾天，她在趕赴一場「里長有約」的行程中，問起同車的祕書：「我們應該送些什麼給那位司機的家屬吧？」秘書問她，是要送花圈還是奠儀？「當然實質的東西好，我聽說他孩子都還很小。」

這時，秘書提醒她，「不過，這奠儀要從那出呢？妳的特支費全被刪光了！」體力透支的她斜支著頭說「那就從我薪水扣吧，就包一萬（元），要盡快送。」如同印刻出版社總編輯初安民曾形容她的「有感性得近乎脆弱的部分」，也是鎂光燈鮮少照到的龍應台另一面。

龍應台相當在意在任何場合、形式的報導中，「龍應台」三個字被擺在什麼樣的位置。例如，經常受邀演講的她最不喜歡在「湯湯水水」的場合中，別人台下吃飯、她在台上講演，這樣的感覺很不受尊重。有次她到達某個演講場合，發現這場文化界與企業界人士的聚會中，上台時間已近但大家還在用餐，單純受邀演講的她相當不悅當場欲拂袖而去，眼看著氣氛幾乎降到冰點，在場的畫家張杰趕緊出來緩頰說：「就快吃完了！」她才勉爲其難地留下。

曾有一次，有位記者訪問多位不同領域的人士探討某一社會現象，並希望她以文化觀察者的角度發表意見，沒想到，她半開玩笑卻又半認眞地「回絕」說：「不要，我不想被擠在大堆頭的報導中，然後只出現一小段」，當然，這只是龍應台不願對這件事發表感言的「託詞」，但卻也或多或少流露她「唯我獨尊」的傲氣。

與媒體間的互動

龍應台與媒體的互動也看得出她性格中的另一面。在市府官員中，龍應台可以稱得上是媒體寵兒，她自己當然也明白這一點，她曾說過，她是有意識地利用自己的聲望與社會資源將「文化從邊緣帶到中心」，藉此推動、宣傳她的理念與政策。

龍應台擅於以她便給的口才透過媒體傳達她所欲呈現的「面向」，但如同千古以來的文人，難免皆有容不下一顆沙子的「形象潔癖」。從過去站在雲端指點江山的知識份子，走到現實成為實踐者，在她心底卻也免不了害怕弄髒了腳，或擺不下身段與包袱。

因此，她只希望在媒體上看到她期待的報導，若媒體寫出了她不欲被披露的眞實想法或批評，她會很在意，甚至告訴記者「因為把你們都當成朋友，我都忘了自己是局長的身分，說了不該說的話……」，頗有對方「不夠意思」的怨懟。

但龍應台可以忘了自己的身分，但她不能要求對方也要忘了自己的身分，當她對記者談話時，就必須想到可能會被揭諸，這是消息來源與媒體間無法改變的「宿命」。而且，記者最可貴的無非「批判」的精神，媒體並不是市府的化妝師、傳聲筒，不可能只當「喜鵲」而忘卻「烏鴉」的角色。

此外，從以前到現在，龍應台有一個從不破例的「堅持」：不為他人的著作寫序，連掛名推薦都不曾有過，一方面她愛惜自己的羽毛不願為他人背書，更忌憚別人利用她的名氣謀利出名。更深沉的原因，她認為，自己的文章好，甚至還曾在大陸公開表示「魯迅的雜文不如我」，既然如此，又何必為他人作嫁？她欣賞的作家是兩千年前的「韓非子」，至於現代，雖然她沒說過，但答案呼之欲出。

平心而論，龍應台是個「講理」的人，因為她是一個「讀書人」。但另一方面，對於她不認同或打從心底鄙夷的人與事，她的耐心也比一般人少，甚至不屑一顧。

這三年來，從過去面對自我單純寫作的人變成掌握權力面對群眾「做官」的人，龍應台說，她對於「權力」一直有著高度警覺與戒備，擔心自己這隻誤闖政治叢林的羊會失去了「羊的純潔」。

一如以往，她冷眼觀察自己能否跟權力達成和諧共處，她自信有足夠的定力不會因為感受到操控權力的樂趣而反過來被權力所腐化。後來，她還有進一步的體悟：有一種羊的純潔是不經人事的純潔，另一種純潔是，羊在認識了狼的世界後之後，還是覺得作羊比較好而堅決回到原來的世界，這是更高層次的純潔。

至於龍應台眼中的最高境界，就是能夠在羊與狼間來去自如，既有羊的境界，又有狼的理解與謀略，「必要時則偽裝成『披著狼皮的羊』，以求能安全通過」。

這三年中，她最大的體認是，看清楚自有人類以來，人性的本質與結構，她相信人可以影響歷史，有品格和沒品格的人之間分野竟是如此巨大，「如果說有人告訴我，處在政治圈中是身不由己一定得沉淪，現在我可以肯定地說：對不起，我不相信」。

至於，在政治叢林中求生三年的龍應台是如何被定位？答案在龍應台心底、以及史家的手中應會慢慢地明朗。

故事得從一九九九年夏天說起。

那年七月十七日，馬英九啓程赴以色列、法國、義大利展開「三國六城」文化之旅，四家媒體隨行採訪。廿五號這天，在結束義大利佛羅倫斯的訪問後，幕僚告訴媒體，馬英九將到德國拜訪「老朋友」，純屬私人行程。於是，他與一位幕僚搭上晚間班機飛往法蘭克福，從法蘭克福機場包計程車到市郊，在避開所有媒體的耳目下，進行這次歐洲訪問行程中眞正的「文化之旅」。

到達目的地時已近午夜時分，德國夏日夜晚，份外沁涼。再一次確認手上的地址，馬英九愼重但輕輕地捻了門邊的門鈴，四目相接，迎接他的是一張訝然的臉。進門之後，從深夜十二點一直到凌晨三點，主人問舟車勞頓的訪客要不要來杯酒？只要了杯熱牛奶的客人就在氤氳繚繞中的客廳中與主人侃侃而談他的文化政策。外頭等候的計程車司機打了盹又睡，醒了又打盹，這一趟「午夜長談」前後共歷時三小時及折合新台幣五千元的車資，但「代價」也不差，換來了一個文化局長。

馬英九這段飛越千山萬水終獲龍應台首肯出任文化局長的故事，曾被傳爲浪漫的政壇佳話，整個過程就像是現代版的「三顧茅廬」，從兩人的互動更是將龍應台的文人性格表露無遺。

歷經三任市長、籌備多年的文化局自治條例在一九九九年七月獲得議會通過，依法八月十八日前市府必須公告，再掛牌成立籌備處。還沉浸在自治條例通過的喜悅中，馬英九也立即面臨尋覓首任文化局長的壓力。在各方推薦十餘名人選中，由於有林懷民、蔣勳的力薦，「龍應台」這三個字便從最後的六位入圍者中被鎖定。

馬英九對素未謀面但久聞其名（文字）的龍應台觀感很好，兩人首次通電話時，馬英九客氣地稱她：「龍小姐」，龍應台則是大剌剌地直呼：「馬英九……」，爾後的每次電話也都是固定這樣的「稱謂」，如今想起，她自己也覺得好笑。

甚至，市府向她要履歷時，更讓她感到「荒謬」：「怎麼能給你們履歷？我又不向你們求職。首長如果想了解我，就去買我的書看吧。書，就是我的履歷。」於是馬英九不僅透過電話、email數度聯繫，也眞得找了她的著作認眞地讀了一遍，最後還帶著他競選時發表的「文化政策白皮書」親自登門拜訪，發揮極大的熱忱與誠意並展現他的用人格局。

很巧的是，龍、馬一聊之下，才發現兩人都是湖南人，而且老家還是隔壁村；再者，雖然龍應台是所謂的「外省人」，但他一聽到具有國際視野的她從小在南部出生、長大，是個不折不扣的「鄉下孩子」相當高興，畢竟可以沖淡一些族群色彩。再者，當他進一步發現，龍應台雖然嫁給德國人、旅居歐洲十餘年，但始終都只有一本中華民國護照更是興奮不已，覺得眼前的人選眞是再適合也不過。

不過，從一開始，不缺名也不乏利的龍應台姿態也不低，自認不求官不求權，爲什麼要對陌生人交代自己的「古往今來」。龍應台說，原本馬英九與她約在鄰近法蘭克福機場的一家旅館碰面，但她認爲，從來只有王來見士，那有士去見王的道理？因此沒有答應赴約。按理說，這場馬英九在台灣出發前就已約定好的會面，身爲地主的龍應該從市郊到市區見披星戴月而來的馬，當然，馬英九親赴她的住所更是展現他求賢的誠心。在此過程中，龍應台的態度的確迴異於一般官場上客套的「官腔官調」，展現十足直來直往的「龍式作風」。

「剛開始，馬英九透過我的好友轉達邀請我出任文化局長時，心裡的意願是答應、拒絕各占百分之五十；但當馬英九親自到我家中拜訪，更詳細地說明文化局長的工作內容及將面臨的考驗後，我的意願立刻將百分之五十降成十。」這是「龍應台當官」消息剛曝光，在各方一片訝然聲中，龍應台接受媒體訪問時的談話。

當時，龍應台並沒有立即做出決定，除了牽掛兩個幼子的家庭因素外，她也珍惜五家歐洲報紙請她寫定期專欄，爲台灣「發聲」的機會，不能說走就走。後來，讓她點頭願意放下寫作與孩子，在無意中踢進臨門一腳的關鍵人物，卻是民運人士王丹。

無心插柳的王丹

那年八月，龍應台還在猶豫著台北這場邀約時，前往歐洲旅行的王丹到了龍應台家中作客。兩人在幽靜院落的蘋果樹下啜飲著酒，王丹提到他繫獄六年半中寫詩的種種，一直若有所思的龍突然插上一句：「馬英九請我去台北當文化局長」，當時他心底的反應是：「這是一個事件」，但嘴上卻是說「嗯，挺好玩的。」

王丹曾在一九九九年十月號的《明報月刊》裡提到這段往事，他回憶：後來兩天裡，我們多次談到這個話題，但我沒有發表什麼意見，因爲看得出來，她當時主意已定。從歐洲回到美國不久，王丹就從報上看到龍應台出任文化局長的消息，當他讀到龍應台告訴記者的話：「我有個政治犯朋友坐了六年多的牢，當時我腦中『滴答』一聲：想想，我也不過『坐三年牢』，還不到他的一半。」對於自己的「無心插柳」王丹不禁莞爾。

王丹又如何看待龍應台從「書齋走上官場」，當時他在一篇〈政途上的「三秋樹」與「二月花」——龍應台出山與李敖競選〉文章中分析：「這其實並不令人驚訝，台灣知識份子歷來就有介入社會的傳統……。對龍應台而言，就是一次痛苦的抉擇，她不能再在《法蘭克福匯報》上撰稿，不能再任意地發表言論，她想再去大陸比以前更麻煩，她要周旋於政客們之間和酒桌之上，她也不能光著腳跑出門來迎接客人了。」王丹觀察，他在這一切的背後看到了「台灣知識份子的社會情懷和社會責任」。

在「龍應台當官」消息傳開剛好滿一個月後，九月四日這天是個周末，龍應台從千山萬水外的北國飛來，踏上這塊熟悉中卻又帶點疏離的土地，只是這一趟的行囊與心情沉重許多，因爲她不是來發表新書或是返鄉探親，而是「當公務員」，「迎接」她的是經緯萬端的文化局籌備工作。

這年的九月六日，文化局籌備處正式運作，未曾在台北有過居住經驗的她，來到巍峨的台北市政大樓更是頭一遭，龍應台當時被安排在十樓一整排不起眼、空間侷促的參事辦公室其中一間，那時還是內定局長的她「官方職稱」叫做「龍參事」，不知情的人還以爲市府內多了一座「龍山寺」。

當天，馬英九舉行記者會，正式地將龍應台介紹與大家，這也是龍應台首次以「官員」的身分面對媒體與社會。當時，才下飛機第三天的龍應台以「沒有傳承累積就沒有文化」爲題爲她將來三年的文化大計定下基調，同時也是文化局最初的「雛型」。當時，她這樣地說道：

文化是傳承，是累積，沒有傳承累積就沒有文化。在八〇年代我們努力爭取權利時，以爲爭到了民主制度，我們就得到了自由，但是今天的現實情況告訴我們，如果人的素質是壞的，什麼制度都是空的，民主制度往往帶來假的自由、眞的墮落。十年來觀察我們政治生態每況愈下，我只能相信：政治可以忘記「以人爲本」的原則，文化不會忘記。提高人的素養是解決問題的根本。

什麼叫「人的素質」？或許可以表現在兩個方面：一個是對他人的尊重，那就是道德修養；一個是對自己的尊重，那就是生活藝術。在一個「素質」高的社會裡，人與人之間的相處——不論是人民與官員之間、官員與議員之間、或者是兩個在電梯裡一進一出的人之間——是進退有據、禮讓有序的。在一個「素質」高的社會裡，因爲對自己、對生命尊重，人對「美」的環境有一種堅持。因爲尊重自己，所以對生活品質不願粗暴，不願草率，不願踐踏。

文化也就是人的素質。

文化局的展望，我們可以說出一百種目標，但在這個歷史階段，就是創造一個環境去提高人的素質。有一天，當人的素質夠高時，我們能享受眞正的自由——免於墮落、粗暴、醜陋的自由。

當時，她爲將來的施政方向定下五個大目標，「人文與生活環境的協調」、「文化資源的調查與整合」、「傳統文化的新發芽」、「國際交流的加強與拓展」、「庶民素養的提高」構成了文化局最初的發想。

同時，她也懷抱著「三個相信」：

「最包容的文化就是最有創意生機的文化」——精緻文化和生活文化不是分割的

兩回事。最傳統的可以是最現代的；最本土的可以是最國際的；最中國的，也可以是最台灣的；「文化可以超越政治」——政治也許要講鬥爭，文化要重寬容。政治也許要分黨派，文化只講品質。政治也許要爭一時，文化卻要源遠流長；「我們都在同一條船上」——文化局、議會、媒體、文化菁英、社會大眾，是共同合作的伙伴。有時候，歷史的門只開一次。

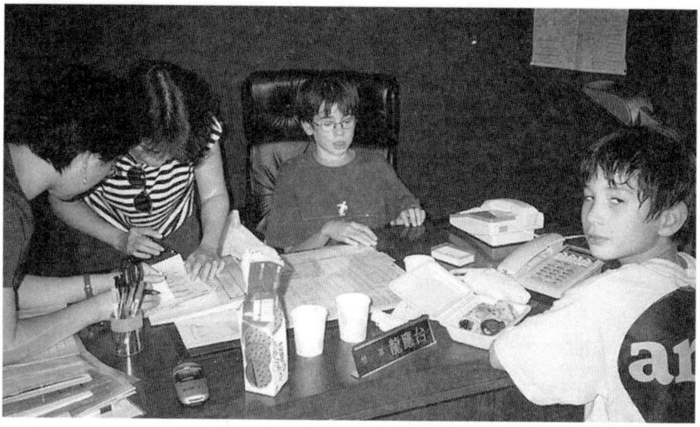

正為文化局籌備工作忙碌的龍應台，把兩個自德國飛來探親的孩子飛飛（右）與安安（右二）帶到辦公室裡辦公。

文化局草創時期

從這天開始，文化局籌備工作進入全速運轉階段。

不過，雖然「龍應台當官」的消息讓海內外、兩岸三地的華人同聲矚目，但出了鎂光燈回到辦公室，卻是另一片「寂靜的春天」。當時龍應台的訪客眞是「門前冷落車馬稀」，不像現在是一個齒輪卡著一個齒輪絲毫空隙也不剩，來訪者必須在如迷宮般的市府十樓先找到蜷伏在某一處角隅的參事辦公室，再穿過一排闃靜到連針掉下都聽得見的長廊，留意一間又一間門口的小壓克力板，才能在長廊盡頭最後一間找到上頭寫著「龍參事」三字的辦公室。

一進門，簡單到連「設計感」都構不上邊的辦公室裡只有一張方型桌、一架電話再加一個龍應台自己帶進來的秘書，「剛來是連支掃地的掃帚都不曉得那裡」，別人是「校長兼打鐘」，龍應台則是「內定局長兼清潔工」，這是全台第一個文化局草創時的「史前時代」。

進市府頭一個禮拜，龍應台發現自己腳很痛，卻不知原因。思索之後才發現，她這一輩子都是「光著腳丫走路」的人，有生以來第一次一天連續穿那麼久的鞋子，所以痛得要命。直到現在，龍應台還是個不習慣穿鞋的人，在辦公室內外，經常可以看見她裸腳而行，即使有客人在，她也不以為意，成了相當獨特的「赤腳局長」。

唯一與其他安靜的參事辦公室不同的是：從早到晚沒停過響聲的電話，還有一個忙得「左手找不到右手」、雙眼滿布血絲的主人。除此，誰也不曉得，就在這個幾乎是被遺忘的角落裡，在一張桌子、一支電話的「偽裝」下，一場石破天驚卻又無聲無息的「文化大革命」正醞釀萬鈞能量，等待兩個月的「羽化」期，當季節從夏末走到深秋時分便要破繭而出。

雖然已在體制內，當時一段小插曲很能表現龍應台對體制的「高度警覺」。文化局成立的前夕，有天秘書向她表示，將來文化局的「正名」，對內可以稱是「台北市文化局」，但對外則必須是「台北市政府文化局」，一聽到「政府」兩字就像全身豎起的刺蝟，「No！對內怎麼稱呼沒有問題，對外則應該是『台北市文化局』。」秘書為難地向她表示，

台北市文化局掛牌成立前夕，龍應台以「屬於台北人的孩子誕生」的心情，暢談她的心情與理念，喜悅與期待全寫在臉上。
（攝影/林秀明）（轉載自《聯合報》）

這是法規會告訴他們的統一規定，龍應台不解地反問，「既然都有『台北市監理處』，為什麼不能有『台北市文化局』？」

就這樣，兩人為了這兩字之差辯談了近半小時，雙方互有堅持，甚至龍應台拿起電話準備問馬英九，在秘書一句「市長也不見得知道」的勸阻下才打消念頭。

最後，文化局的名稱還是照著龍應台的意志，不論是對內或對外皆然，就連文化局辦公室入口處也是只有書法家董陽孜（《野火集》的封面提字者）提的「六字箴言」——台北市文化局，就這件事可以看見龍應台挑戰體制、不接受成規的性格，也為她往後三年的風風雨雨埋下伏筆。

事實上，從九月六日展開籌備，到十一月六日正式掛牌，兩個月以來，文化局籌備處一直處於沒人沒錢的狀態，一旦都是從零開始。隨著掛牌日的接近，龍應台的行程也從開始的「滿」，進展至「滿、滿、滿」，一方面她除了議會、辦公室兩頭跑外，同時還得抓住短暫的空檔面試新人，壓力及負荷接近臨界點。

當時，善於自我調侃的她還在辦公室桌後方掛上一張她自德國攜回一幅充滿後現代主義的裝置藝術圖片，圖中的人只有下半身，消失的上半身則深埋在一堵牆中，她自己還在一隅寫上「龍應台當官」幾字，讓訪客看了都不禁莞爾，不過，龍應台則是苦笑以對。

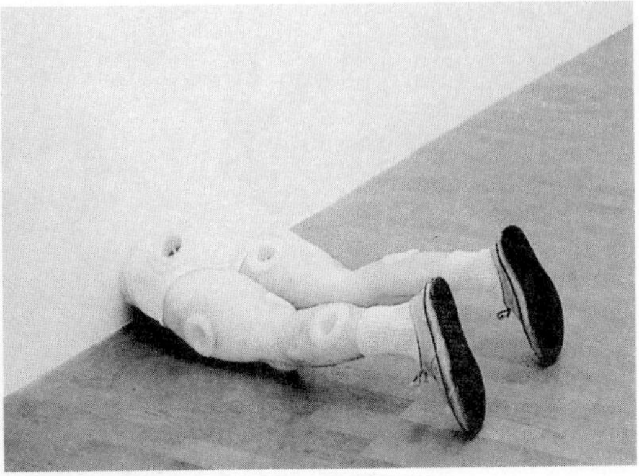
這張掛在當時還是文化局內定局長龍應台辦公室裡充滿後現代不協調感的圖片，不是現在流行的裝置藝術，而是她自德國攜回的「心情寫照」。

十一月六日，文化局掛牌成立，由馬英九主持龍應台宣誓暨頒授印信典禮。當時，龍應台以《論語》「先進篇」中，孔子與弟子子路、曾皙、冉有及公西華的談話，比喻當時總統李登輝是有志治理夾在兩個大國間千乘之國的子路，馬英九是有志於治理一個城邦三年可以使人人富足但禮樂必須「以俟君子」另請高人的冉有。

龍應台則自許，她之前的廿年間就像曾皙，志向在暮春時節「春服既成，冠者五六人，童子六七人，浴於沂，風乎舞雩，詠而歸」。但從現在起就成了「宗廟之事，同會同，端章甫，願爲小相焉」的公西華。

如今，從當初的「一人局長」走到今天編制一百五十多人的規模，很多人不知道，剛開始，寫過幾百萬暢銷文字的龍應台，卻連幾百字公文都不知道怎麼批、一度想模仿雍正皇帝寫下「知道了」，摸索了很長一段時間，才熟悉這些行政程序。

前半年角色轉換之際，令龍應台相當不適應，且覺得最「奇妙」的是，桌上的公文堆起來有一公尺高，每天埋首其中一直簽發，可是明天一進辦公室，還是一公尺。每天工作超過十五小時，她還曾經動過就擺張沙發床在辦公室直接過夜的念頭，「反正每天都好晚才走。」不過，當時副局長黃才郎告訴她「不可以」，因爲這樣會得退伍軍人症，才讓她打消此意。

如今，再回顧那段驚心動魄的「史前時代」，原本以爲自己體力鐵定撐不過三個月就會倒下的她，沒想到這三年她還好好地在工作崗位上，雖然思念與疲憊不曾減少過，「到現在，我依舊感激馬市長那場『午夜懇談』」，自喻是「戰場上傷痕累累的士兵」的她帶著複雜心情回首過往。

她透露，頭一年，平均不到三個月，馬英九就會在半夜接到她「幾近崩潰」的電話，覺得自己「快要熬不過去」，更痛苦的是，她也很難對朋友訴苦：「一、兩次可以，可是說了也沒用，對方根本聽不懂。」後來漸漸地，頻率減爲半年，這一年來，馬英九幾乎沒再接過她類似的「求助」電話。

因此，她心底告訴自己：儘管已成「傷兵」，還是堅持要打完這一仗。

議會風雲

長久處於體制外以社會批判者角色縱橫文壇的龍應台踏進官場，迎頭而來最大的考驗與磨合，就是來自於民主體制所賦予之民意代表監督質詢權利。過去，龍應台不只一次爲文批評過民意機構的包袱窠臼與效率低落，從早期的《野火集》直到近作《百年思索》中都有過不留情、直辣辣的火力攻擊，

當時傳出龍應台當官的消息，她的許多文壇朋友第一個反應就是：「妳一定會被議員給糟蹋！」作家是頂著光環、飄在雲端上傲然視物的，更何況是龍應台。因此，「府會關係」也成了龍應台爲官歷程中備受矚目的焦點，除了友人的心疼外，更多人是等著看好戲，看看辯才無礙的龍應台如何在議會中舌戰群雄，或是被「修理」。

當然，龍應台很明白自己的處境，說白一點，不分黨派的議員早已「磨刀霍霍」等待肥滋滋的待宰豬羊上門來。

對於在野的民進黨議員而言，龍應台除了是馬團隊的轄下大員當然要「好好照顧」外，另一個更微妙的心理是：外省籍的龍應台寫作風格帶有濃厚的中國傳統文化與意識，再加上她的大陸關係良好，且擁有廣大讀者，因此很容易就被標籤化，冠上「統派作家」的大帽子。此外，頂著博士學位、喝過洋墨水的龍應台不自覺流露出的「高級知識份子的

驕傲」，諸此種種對來自草莽強調本土、獨立的民進黨議員而言，無異是眼中釘肉中刺，就算拔不掉也不能輕易就讓她過關。

不過，按理說，同屬泛藍陣營的國、親、新三黨議員應該對立場、理念較為相近的龍應台友善才是，這句話只對了一半。的確，相較民進黨，泛藍議員支持龍應台的比例是較高。但另一方面，衝著龍應台的高知名度，對於爭出頭、媒體能見度的議員來說，「打龍」比起打任何一官員甚至是馬英九都來得更容易獲致媒體關注，「日頭赤炎炎，隨人顧性命」，龍應台這塊肥美的膾炙，怎能躲過飢腸轆轆饕餮的朵頤。

正因為如此，當年議會會期在決定各委員會名單時，文化局所屬一向不怎麼熱門的教育委員會突然大爆冷門，報名的人數比原本設定的多出一倍，這種情況雖不是絕後，但肯定是空前，最後只得以抽籤了事，從中籤者的手舞足蹈及落馬者的黯然神傷兩者強烈對比，可以看出龍應台所受到的「垂青」。

新官上任

這些現象看在新官上任的龍應台眼裡可是憂喜參半，「至少這代表很多議員關心文化議題」龍應台這樣解讀，或許也試圖說服自己「往好處想」。

對一切都了然於胸的龍應台深知未來她的政策或預算沒有得到議會的支持，再美好的藍圖再偉大的理想，就算不是空談恐怕也將滯礙重重，因此在尚未上任之初，就開始極力建立與議會的良好關係。

不過，即使龍應台自覺已擺低了身段、甚至委曲暗呑，還是難免碰了壁。當時還是內定局長的龍應台以市府參事身分首次前往議會拜會，一個議員也認不得的她自我介紹、交換名片藉以拉攏與議員的距離，大多數的議員都還相當客氣，加油鼓勵聲此起彼落。

不過，當遇上民進黨籍的大姐級人物謝英美時，情況就有了轉變。龍應台一貫地伸出手問了一句：「我是龍應台，請問您是？」沒想到，此話一出，謝英美立即拉下臉丟下一句：「我是誰妳都不知道啊！那妳來做什麼？」當場氣氛由熱絡降到冰點。這樁插曲也讓走到那裡受盡掌聲與知名度的龍應台上了議場第一堂課，回去之後趕緊要來名冊熟記議員名字與臉孔。

類似的情況也在不久後再度上演，對象還是同屬執政黨陣營的國民黨議員陳進棋。當時，龍應台拿著文化局成立茶會的邀請函一間間敲議員研究室的門當面邀請議員參加。龍應台走進陳進棋的研究室，恰好他在裡面剛與人聊天泡完茶，龍應台說明來意後，正在清洗茶具的他頭也沒抬起反應有些冷淡地說：「喔，我那天不一定有空。」她還是把邀請函交給了他，這時龍應台伸出手欲與之握手，陳進棋則以「手濕不方便」而婉拒，一切的冷暖點滴都在龍應台的心頭。不過，相較於日後龍應台與議會的扞格，這些都只能算是小兒科。

一九九九年十一月八日，文化局成立後的第一個辦公日，這一天教委會成員、國民黨籍議員蔣乃辛赴議會途中行經忠孝東路三段大型電子看板，在「本日大事」上赫然亮出大大的「文化局長龍應台首次赴議會備詢」等字，令他著實大吃一驚：「哇！什麼時候議員質詢官員也變成了國家大事啦？」

當時龍應台與議會處於新官上任的「蜜月期」，當天議場的氣氛可以說是「熱烈而不激烈」、「賓主盡歡」，新黨議員李新還送上「龍」馬精神、「應」對自如、「台」灣精神的嵌字聯鼓勵她。不僅議員對文化事務侃侃而談，直指問題核心；龍應台實問實答、不迴避問題，三小時的會議毫無冷場，是府會間一次相當精采的互動。

相較於先前因不知議員姓名，還被議員奚落的「菜鳥局長」，當天龍應台可說是做足了功課，對議員背景瞭若指掌，那些議員家有小孩、某某議員是環保博士都了然於胸，也能適切地應對。

爲了「迎接」龍應台，議員也是準備充分。龍應台是高知名度的作家，質詢這麼一名局長，議員若未好好準備，純以意識形態作情緒發言，質詢就流於膚淺，受傷的不會是龍應台，而是議員。教委會議員也坦承壓力很大，個個都做了功課、抄了筆記，絲毫不敢馬虎。

議會「抗議」事件

不過，這段難得的蜜「月」期也果真僅維持一個月，真正的試煉很快就來了。

龍應台上任剛滿一個月，十二月七日這天議會舉行總質詢，民進黨團陳淑華、藍美津、陳正德原定是以檢討馬英九一年的施政缺失為質詢主題。沒想到，輪到陳淑華之後，卻上演了一場荒腔走板導致擦槍走火的戲碼。

在陳、馬答詢過程中，陳淑華突然天外飛來一筆、話鋒一轉地質疑馬為什麼大老遠專程到德國找人當文化局長：「是不是看不起台北市沒文化、台灣沒文化？馬市長心裡是不是認為台北人沒文化？台灣人沒文化？」馬立即為龍辯白說：「龍應台是土生土長的台灣人，在國外廿多年，拿的只有一本中華民國護照。」馬英九話還沒說完，當事者龍應台突然從官員席上再也按捺不住突然舉起右手說了一句：「陳議員，我要抗議你說我不是台灣人，我要抗議喔！」

這驚天動地的三個字一出口，立即掀起漫天風暴，不但讓陳淑華暴跳如雷，更是讓台下其他官員、議員傻眼，當時主持議場的副議長費鴻泰好心的提醒她：「用『抗議』兩個字，是我當議員五年來第一次聽到，麻煩妳用字稍微注意一下。」。這在議場上官員對議員空前絕後的「抗議事件」點燃龍應台與議會最大的一波戰火，隨即就是一陣流彈四射。

「妳不是台灣人！」「為什麼不是？」「她住在德國，可是她不是德國人耶！」「我不管

甫上任一個月，龍應台因議員陳淑華質疑而舉手抗議，會議衝突不斷。（攝影/胡國威）（轉載自《聯合報》）

妳，妳住在德國。」

與陳淑華同黨的藍美津也加入戰局：「妳是那裡人？」「我是中華民國國籍！」龍應台的話還沒說完，一旁的民進黨議員陳正德則拍桌子大表不滿：「不尊重議會，怎麼可以抗議」，隨著議場上唇槍舌劍煙硝味愈來愈重，費鴻泰眼見場面愈發不可收拾，因此宣布休息十分鐘。

重回議場後，藍美津要求龍應台道歉，龍應台雖態度稍稍軟化但還是重申她「抗議」的立場：「衝突原因可能是因爲現場播音系統有雜音，如果是我聽錯了，我願意收回抗議；如果議員還是那個意思，我還是要抗議。」結果龍應台不願委曲求全，反而是一旁馬英九怕情勢愈發火爆出面緩頰，親自上台表示市府願意收回抗議。

但陳正德還是相當不滿意龍應台的說法，再度要求主席會議「到此爲止」。費鴻泰也試著要幫她找台階下，要求她再上台說明。結果，她不上台還好，出口的話語卻又是一陣雞飛狗跳：「如果是因為我住在德國，而被認為不是台灣人的話，這是誤會一場。但這不代表我同意議員認為我沒有抗議的權利，如果議員說我是豬，是狗的話，我還是要抗議。」這時滅火不成的費鴻泰趕緊宣布休會，因為再繼續下去，恐怕議場真得就要變戰場。

龍應台與數位議員的唇槍舌劍、不示弱的火力反擊，讓整起事件愈演愈烈，當天事件經由電子媒體的披露立刻引發強大的「後座力」，慰問的鮮花、電話及傳真蜂湧入文化局，藍美津、陳正德研究室同樣接到不少抗議電話，更不用提脫稿演出無意踩到地雷的陳淑華。

經歷這場政治機器硬生生激烈磨合的龍應台，當時的反應是「不意外，遲早要來的」，這場「意外」也是很多人的「意料中」。龍應台文人性格在這個事件中鮮明地被突顯出來，對於認為不合理、有謬誤的事情，她認為必須據理力爭不能鄉愿地得過且過，說理行不通時她還會挺身而出反抗，這樁「台灣人之我抗議」事件似乎把「沉寂」了十多年「野火」時代的龍應台又勾引了出來。

這件事稱得上是龍應台上任最大一次的議會衝突，善於觀察、分析的她還是不脫文人思維模式地認為，把這個問題凸顯出來其實也不壞，因為在這個「台灣人事件」中可以看到兩個思考點：其一是，長久存在台灣社會中的族群分化議題依舊糾纏；另外，她也拋出了一個問題，就是官員與議員在互動的過程中，究竟有沒有抗議的權利？

當時，有人說，「作家龍應台」身段不夠柔軟，暗指她忘了自己現在官員的身分，龍應台當場就直率地反駁，如果是作家龍應台，「早就走人了！」不過，她當時是僵著笑容對議員說「或許我誤會了」，對她而言，這已是莫大的「姿態擺低」。

情牽幼子

這件事情甫落幕不久，兩個星期後，十二月下旬，當時議會會期尚未結束，龍應台向馬英九及議長吳碧珠告假，並完成請假手續後飛回德國與家人團聚共度耶誕節。當議員欲質詢龍應台，赫然發現她早已離開台灣回德省親，此舉又再引發一陣沸沸湯湯，議員認爲龍應台以私害公，居然爲了一個節日要請假，根本不尊重議會，既然龍應台眼中無議會，那麼議會又何必支持文化局的預算？

內心有一塊相當柔軟且廣袤的畝地是留給她鍾愛的兩個孩子的龍應台，即使甘冒會期中請假的大不韙，也要回德與極爲重視耶誕節的家人團聚，她如此地堅持引來議員更加地不滿，但由於當時她皆已向市長及議長口頭報備並完成請假手續，因此議員也能隔海開砲，人在德國的龍應台當然也過了一個不平靜的耶誕節。

龍應台與議員的大小扞格不斷，而她爲官後首度在公開場合落淚同樣也是發生在議場上，同樣是爲了她的孩子。

二○○○年六月初，當時議會正在進行爲期半個月的議會總質詢，龍應台再度提出請假，希望能在六月十一日至十三日間回德參加長子安安十四歲的成年禮，此話一出，又是一陣嘩然，不是第一次在總質詢會期中請假的龍應台在議員的想法中，成年禮有什麼大不了，非得要在總質詢中缺席？未免太藐視議會又太小題大作了吧！

不過，龍應台解釋，在德國成年禮是一項非常重要的傳統，不僅是全家族動員參與，參加的孩子更是要早在半年前就要前往教會受訓、上課，就爲了成年禮短短半天的儀式。她更不諱言地說，德國重視成年禮到什麼樣的程度？若夫妻在仳離時爭取孩子的撫養權，「是否出席孩子的成年禮」甚至會被列入法官裁定的重要考量。

龍應台相當看重這件事，因此她硬著頭皮卻也意志堅定地向議會告假，即使在三天時間內，來回

為了返德參加大兒子安安的成年禮，龍應台首度在議場上落淚，反應她「公私難兩全」的無奈。（攝影/林永昌）（轉載自《聯合報》）

飛行時間就得花上三十小時、在德停留六小時「撞到牆壁就回來」的情況下，龍應台還是要回去一趟。當時，國民黨籍議員陳雪芬以同爲做母親的心情「質詢」她，等於爲龍應台緩頰，也「間接」做球給她，幾句軟性的詢答，好強的龍應台當場便哽咽潸然淚下，因爲念子心切，也爲了公務與家庭的難以拿捏。這些皆在在顯露出龍應台「橫眉冷對千夫指，俯首甘爲孺子牛」的文人性格。

不可否認的，很多議員對於龍應台的觀感不佳，除了政黨、省籍問題，更多是來自對她個人的負面評價，不脫「驕傲」、「霸氣」等形容，甚至認爲龍應台挾著媒體寵兒之姿不把議員放在眼裡。

「大開眼界」的王丹

對於民意機關運作不適應的不只龍應台，也讓當初無意促成龍應台踏上仕途的王丹「大開眼界」。二〇〇一年九月，應邀自美來台參加民政局活動的王丹，曾隻身悄悄前往議場旁聽順便「探望」老朋友，當天，龍應台正在教育委員會中爲預算辯護。一身"Havard"（哈佛）字樣T恤、滑板褲，斜背著大包包的王丹，不動聲色地坐後方的旁聽席上專注聆聽文化局預算審議。

昔日站在天安門廣場上慷慨疾呼民主改革的王丹還是平生第一遭踏進現代民主殿堂，

他坐在文化局的官員席後方專注地觀察議員如何審查預算，還不時作筆記，議員的咄咄逼人、官員的小心翼翼，每一樣對他而言都是破天荒的新奇。

王丹目睹好友龍應台在議場上卸下作家光環，在議場受實地「磨合」的經過，由於當天議員對文化局預算不甚支持，沮喪不已的她在議程結束起身離開時轉頭看到王丹，給了他一個比哭還慘澹的笑容，這位當時對於猶豫不決是否出任文化局長的她具有臨門一腳作用的「始作俑者」，則隔著重重人海拋了一句：「早料到了，不是嗎？」實地感受了這場民主體制運作的過程後，王丹最大的結論是「將來我要當議員，可不作行政官！」王丹的戲語也可感受龍應台從文人到官員角色轉換的辛苦。

除了言行外，龍應台的「舉止」與「穿著」曾有一度變成議員批評的焦點。穿著向來隨性，甚至在辦公室經常脫了鞋赤腳跑來跑去的她，經常是一襲牛仔褲、襯衫就上了備詢檯，因此惹來議員的非議，認爲她穿得「太隨便」，不尊重議場。而她站在備詢檯上習慣雙手交叉胸前、上台前未向主席台鞠躬，同樣都成爲議員抨擊的話題，雖然龍應台不認爲穿著跟她的施政有任何的關聯，肢體動作只是習慣或疏忽，但她也從善如流，在服裝與肢體上稍稍地調整與提醒自己。

在《百年思索》中龍應台就曾有過憂心：「民意可能惡質成一種多數的、平庸者的暴力，限制個人的發展。個人要從民意的強大束縛中解放出來，要向民意的平庸統治爭取不同流俗的權利。極權瓦解之後，壓迫著個人的是無數個個人所結成的集體，『民意』。」當她面對民意之代表時，很多時候的確壓抑內心的眞實感受。

事實上，議員來自四面八方、背景及良窳不一，慣於在文人、藝文圈中活動的龍應台其實難免產生「秀才遇到兵」的心結，只是她也明白「怕熱就不要進廚房」的道理，當時的副局長黃才郎就曾勸過她，畢竟議員是民衆一張票一張票選出來的，背後的民意基礎還是得尊重。

後來，龍應台慢慢摸索出與草根性較濃的議員一套互動的「眉角」，就是讓他們覺得「自己是重要的」，試著從他們的角度、立場去感受，起碼讓他們感覺到被尊重與重視。即使心中不以為然，但也不失是一種「以退為進」的策略及生存之道。很多時候，議員都是以媒體、民衆反應做為風向球，因此只要了解彼此間的互動關係，議員也沒有她想像中的難以溝通。至於，議場上議員質詢時所用咄咄逼人的字句、語氣，龍應台也學會了自處之道，不再是以前容易被激怒又容易受傷的公雞。

軟性的抗議風波

除了議員與官員間的互相尊重，對於議員審查預算動輒遲到一、兩小時的習慣，導致所有官員枯等、議會空轉，令龍應台相當無法忍受，甚至不客氣地直言「等開會是落後國家的象徵」。這樣的情況到了二〇〇二年選舉年更加嚴重，忙著跑場、趕攤的議員對預算審查根本是分身乏術。

二〇〇二年十月四日，正值這一屆議會的最後一次會期期間，當天是首日分組審查文化局預算，這天整整等了一個小時議員人數才湊齊開會，讓龍應台靈機一動地乾脆下周一開會前審附屬單位預算時，表定兩點鐘開會之際，請來交響樂團音樂家演奏、等候習慣遲到的議員，表面上是紓解官員壓力，其實是要表達她的「軟性抗議」，藉此突出不合理的體制導致社會資源空轉，及「只許州官放火」議員與官員不對等的關係，不過，卻也讓在議會「沉寂」很久的龍應台再度引爆火線。

當天下午近二時，市交三位團員帶著大小提琴到達教委會會場，並且開始演奏，陣陣悠揚樂音迴繞，連一旁正準備前往民政委員會備詢的勞工局長鄭村棋都聞樂而來，感到新奇不已。不過，就在樂手正演奏第三首曲子時，突然傳出「碰」地一聲巨響，只見議會專門委員黃冠諭手叉腰怒氣沖天拔高分貝地說：「太不尊重議會了！」厚重的預算書被重擲到桌上並掉到地上，連一旁的茶杯也受到池魚之殃翻倒，讓正沉浸在音符中的樂手們都嚇了一大跳，樂音嘎然中止。

這時，市交團長陳秋盛立即上前向黃冠諭抗議：「你怎麼可以那麼粗暴對待藝術家！用講的不行嗎？我要發動全團來拉白布條抗議。」「到你家來演奏，事先不講一聲，可以嗎？」「這是你家嗎？」「我有義務維護議場秩序！」現場氣氛愈見火爆，一時間劍拔弩張，這時，教委會召集人市議員吳世正匆匆趕抵現場，並為雙方緩頰，同時也趨前向三位音樂家致意，表示下次有機會再請他們到議會來好好演奏。

不過，風波並未因此而畫下休止符，隨後到場的市議員蔡秋凰支持黃冠諭的處置，且對龍應台的「突發奇想」感到不滿，「妳既然到了體制內就要接受規定，又不是第一年當局長！」蔡秋凰表示，議會是合議制，如果龍應台想在議場內舉行音樂會不只要先行告知，而且要徵求過半數的議員同意，「既然妳不尊重議會，那乾脆連預算都不要審了！」

龍應台先向自己程序上的疏忽向議員表達歉意，她解釋，她的這項安排並非是議程中的一部分，而是開會前為同仁紓解壓力，她事先有打電話向吳世正報告，同時也試圖徵求其他教委會成員的同意，只是除了吳，沒有一個可以聯繫上。

隨後，黃冠諭也為方才的舉動致歉，但他重申，依照議會廳室使用規定，任何單位在任何時候使用場地都須向總務及管理單位提出申請並獲准許，態度軟化的陳秋盛也向議員為自己的衝動感到歉意，吳世正則引用鄭愁予的詩註解這是一場「美麗的錯誤」，經過一個多小時的你來我往，文化局預算才順利進入議程，這場戲劇性十足的「音樂劇」終告落幕。

龍應台此舉再度引來「角色不對位」的批判，議員認為她雖然過去是海闊天空、快意恩仇的文化人，到了體制內就要遵守規定。議員說的沒錯，龍應台在議場內就要遵守議會的遊戲規則。不過，在程序疏失的背後，更應讓人思考的是：龍應台爲什麼要這樣做？如果不是因爲議員遲到的陋習導致社會資源無端浪費，且情形日益嚴重，已非官場新手的龍應台不會安排這麼一個「突發奇想」。

更深一層探討龍應台的用意，在她的觀念裡：文化不外乎人與人之間彼此善待、尊重，文化官員不自重或不受重視，怎麼能要求他們建立文化？因此，她對於在議場中，每每看見官員半蹲著與坐著的議員說話，她就覺得無法忍受。她認爲，官員和議員要平起平坐、彼此互重，要不然兩個人都坐著談話，要不然請議員站起來跟官員談話，不可以讓官員半蹲著和議員說話。

龍應台希望維護文化官員的尊嚴，藉此爲台灣培養出一批一流的文化行政人才。因此，對於議員不尊重官員時間，動輒遲到一、兩鐘頭，她同樣感到如芒刺在背般地難以忍受。議場上這齣看似荒腔走板的「音樂劇」其中的「弦外之音」透露出龍應台挑戰體制、無法忍受沉疴的個性。另一個因素，因爲這是龍應台「畢業」前的最後一個議程，因此她可以拋開包袱，放膽去做。

龍應台另一個與議員互動中所展現出的「特點」，就是她堅持不跑議員的紅白帖及不接受議員的人事「請託」。上述兩樁「人情世故」都是許多人認爲理所當然、甚至是官員拉攏他人與議員「搏感情」最好的機會，不過，這些卻都被龍應台視爲是「陋規」的官場文化。龍應台的「不買帳」及「不通人情」，難免惹來議員的疵議，認爲她總一付高高在上的模樣，碰過幾次軟釘子後，自然類似的邀約、要求就漸漸絕跡。

三年來的堅持與從不破例，龍應台的確走出了一條與其他官員不同的路，在跌跌撞撞中衝擊出不一樣的議會文化。在某一個層面來看，她展現了官場中難得的文人風骨，樹立屬於她個人的典範、爲官場帶來一絲難得清新的「硬頸」風格。

龍應台初上任的第一年，果然一如外界所預料，常不經意地就走上政治的鋼索、下了鋼索又踏上滿布地雷的領域，渾身燃燒著桀驁的「野火」因子，再加上「路見不平據理力爭」的文人性格，三不五時就踩到威力強大的地雷，炸得自己灰頭土臉，一再站上火線的結果，不僅烈焰灼身更是傷痕累累。

石原事件

一九九九年十一月中旬，時值「九二一」大地震後不久，具有濃厚軍國主義色彩的日本東京都知事石原愼太郎來台展開「賑災之旅」。以強烈反對中共著稱的石原過去曾以不承認有「南京大屠殺」的言論而引起國際譁然，當時石原的來訪曾引起相當大的矚目與爭議，在台他被奉爲上賓，包括與他具有深厚情誼的總統李登輝都曾設宴款待。

在石原短短三天訪台行程中，十一月十四日當天，台北市長馬英九以「地主」的身分於晶華飯店以簡單茶會歡迎，隨行還有龍應台、新聞處長金溥聰、消防局長張博卿，及作陪的行政院經建會主委江丙坤、律師王清峰等。

由於石原的身分敏感，當時有廿多位保釣團體成員在飯店的大門口拉起抗議布條，大罵「漢奸」。身分尷尬的除了馬英九之外，向來以「尊重歷史」為寫作主軸的龍應台出現在歡迎茶會上更是突兀。龍應台透露，在前一晚，原本未在與會名單的她，無意中得知馬英九將與石原見面，雖然作為作家，她不情願見他，但站在城市交流與身為文化局長的立場，她必須超越個人的情感和看法，尤其日本文化中的效率、敬業、生活藝術都值得台北學習，「幾年後，石原不一定還是知事，但日本文化還是依舊存在且深遠」，遂主動要求出席。

當時龍應台在飯店門口下車，她還曾趨前與抗議人士短暫交談，解釋「身為地主城市，與石原見面是基於禮貌」，不過並不被抗議群眾所接受，事後無數海內外抗議電話與文章更是紛湧進來，認為她「寫是一套、做又是另一套」。當時下榻在國賓飯店的石原則是在安全人員的引導下搭乘電梯直達廿樓的會場，避開抗議人群及安全顧忌。

這故事還有另一段少為人知的插曲是，同樣堅決反對馬與石原會見的李敖曾在其發行的「李敖電子報」中描述：馬英九與石原會面的前一天，李敖與新黨黨主席李慶華舉行記者會，李敖認為，因為馬是「保釣健將」，而石原卻說釣魚台是日本的領土，又否認南京大屠殺與慰安婦的存在，李敖「警告」馬英九不可以見石原，「否則跟你沒完沒了」。

當晚十時多，馬英九打電話給李敖向他解釋了半小時，李敖除了力勸馬英九不要去淌混水外，他還提醒馬，「行客拜坐客」這是基本的道理，現在卻變成是石原在其下榻的國賓飯店見馬，根本說不過去。因此李敖的一席話，最後北市府再三斡旋才變成是在第三地晶華飯店見面，做到「個人不失身分、團體不失立場」。

在短短廿分鐘的會晤中，雙方分別就文化交流、建立救災體系及推動公害防治等議題交換意見，完全沒有觸及外界相當關注的保釣、慰安婦等敏感的政治議題。龍應台當天帶了兩份文件，一份是「台北與東京交換藝術家備忘錄」，龍應台透過翻譯告訴石原，東京與台北間存在許多誤會，而台北對於東京認識多僅止於流行文化，她希望在文學與藝術上能與東京多加交流，並進行交換駐市藝術家的事宜，隨後將備忘錄交予石原。

在會談結束時，龍應台並以同為作家的身分，送出另一份「禮物」——她的著作《百年思索》給首次見面的石原，她告訴他，「我們都是作家，就作家對歷史的見解，我們有極大的差距，而我的想法都在書中。」她還特別將書中對李登輝史觀有所批判的部分勾出來給石原參考，根據龍應台的觀察，當時，石原一接過她的書「臉色一下子就拉了下來」。

沒想到，事件並未就此落幕，兩個多月後，石原在一次接受電視台訪問暢談他的台灣之行，個性鮮明的他在訪談中出人意表以嚴厲的口吻說，當時在訪台期間，跟馬英九在一起的女性文化局長看起來相當反日，「我很討厭她」，石原口中的主角正是龍應台。

石原並說，「那位閣僚完全是陽奉陰違，跟他會面之後，（龍）站在那裡的門口對我說『我是反日』的，這到底是怎麼一回事啊，說這種話的時代已經過去了吧！」末了，石原用半開玩笑的口氣希望馬市長「要對下屬多加管教，以免讓到訪的客人感到不適應。」

消息很快就傳回台灣，龍應台除了否認她曾說過「那麼粗糙、非理性」的話外，她並對石原說出要馬英九「管教下屬說」相當不認同，「好像長輩在對晚輩說話」。她認為兩人都是平起平坐的的城市首長，石原的話不但有失分寸，而且相當不禮貌。龍應台對於石原與事實出入甚大的發言提出嚴正抗議，因為這對海內外華人的影響太大，「我不得不說清楚」。

事件爆發後，日本朝日新聞的台灣特派記者曾前往訪問龍應台，並將事件始末完整披露，據龍應台表示，當時不少日本讀者對於石原的無禮與粗暴感到不滿，成為這樁事件的另一插曲。

從這個事件中，龍應台骨子裡的文人性格流露無遺，當時她選擇去見石原，內心卻有著極大掙扎，「言行不一」的批評令她感到痛苦，卻又因其官方身分不得不然。因此她選擇帶了自己的書，不忘把其中對石原具有「異議色彩」的章節給註明出來，藉此表達她內心的堅持與信念與不願「屈服」，此舉或多或少間接引發石原的不滿情緒。

事後，石原的隔海砲火更是令她氣憤地跳出來反擊，一來她不願被曲解，「據理力爭」是她一直以來處事的反射性動作；二來一句「管教」說，更是讓她血液裡流竄的「傲氣」因子為之奔騰不已。

不過，石原事件或許可以稱之爲一次的「高射炮」，一下子就直衝天際引爆火藥，聲響震耳但爲時甚短，眞正在龍應台的爲官生涯中產生「分水嶺」與「轉捩點」作用的「深水炸彈」，徹底改變龍應台行事風格與邏輯思維，前台北美術館館長林曼麗與高雄市長謝長廷兩人則是起了關鍵性的作用。

龍、林風波

在文化局未成立前，台北市立交響樂團、國樂團及美術館都是隸屬於教育局，由於這三個附屬單位的音樂、美術專業度高，與教育領域具有相當大的分野，因此，過去教育局幾乎只是掛名的主管機關，三個附屬單位的自主性相當高，甚至可以「直達天聽」不須再經過教育局層級，直接向市長報告。

文化局成立以後，這種生態開始有了轉變，龍應台認爲，她不能像過去教育局採取「無爲而治」的方式，既然已有專責文化行政業務的文化局，她就必須付起主管機關監督管理的責任。她說，她必須爲台北文化政策定出發展藍圖，同時也必須將附屬單位的力量予以整合，不能再採亂槍打鳥的方式。再者，她強調，她完全尊重專業，絕對不會干涉。

除了專業領域外，對於秘書、人事、會計等單位，龍應台說，她上任以後，發現附屬單位在這幾項上有諸多不符程序的問題，個個都像是獨立的一級單位，在人事升遷與採購上也有部分瑕疵，身爲主管機關，她不能坐視不管。

因此，文化局的介入與主導引來附屬單位的反彈，尤其是北美館長林曼麗，她就曾直言批評「文化局成立後，什麼都要管，連它不懂的也要管。」她舉例，美術館人員的升遷過去決定權在於館長，行政程序上採「報備核准」，以示對館長的尊重。不過自從有了文化局，幾乎所有的人事案都被退了回來，就連組長升編審的申請案都被打了回票，讓林曼麗逐漸醞釀有志難伸，行政干預藝術專業的不滿情緒。

一九九六年十一月受時任台北市長陳水扁聘爲館長的林曼麗，被認爲「扁系色彩濃厚」，在一九九八年市府政黨輪替後，她則繼續留在北美館中擔任館長。引發林曼麗與龍應台意見相左乃至於最後離開馬團隊最先的導火線，就是雙方對「第二美術館」定位的歧見。

位於長安西路上的舊市政大樓，原本在日據代是建成小學校的校舍，戰後長期做爲台北市的辦公廳舍，直到一九八七年位於信義計畫區的市政中心落成後，才遷出，舊市政大樓在一九九八年被指定爲市定古蹟，當時陳水扁決定將該址成立「第二美術館」，由林曼麗擔任這項「大美術館」計畫的主持人，林並將其定位爲「數位科技館」。

不過，一九九九年六月，在馬英九上任後半年他接受部分藝文界人士建議裁示停止大美術館計畫，二美館不應做爲北美館的分館，其內容必須重新定位，延續以數位科技及現代藝術爲主題的「台北當代館」，這時北美館與北市府之間開始產生理念的差距。

雖然當時文化局尚未成立，但上任以後的龍應台同樣支持馬英九的作法。龍應台的想法是，爲什麼不讓當代館成爲北美館的分館？她提出國際的參考系統和台北文化體質的考量，她舉例，巴黎有八百個風格不同的美術館或博物館，台北市有幾個？在現代美術館方面只有一個是相當單薄的，在只有一個美術館的情況下還要讓另一個館成爲這一個館的分館，延續原來館長的思維與風格，龍應台不認爲台北已經多元到可以如此，「台北不是巴黎，一定要有不同的風格出現」。

「白色」烏龍事件

由於龍、林兩人互信基礎不足乃至於開始接續一連串的風風雨雨。

二〇〇〇年四月廿三日，文化局邀請德國媒體美術館館長、國際媒體科技藝術大師傑佛利訪台參觀當時的「二美館」，在參觀過後並與傑佛利舉行座談，林曼麗進行簡報，當時龍應台告知林曼麗時間不多，簡報應該簡短，就在座談會上，林曼麗突然站起來語出驚人、渾身微顫地說「我豁出去了！」，她以激動的語氣表示，文化局動用政風室調查她，分明就是在行白色恐怖，林曼麗指陳文化局的打壓與抹黑，才讓她滿腔委曲終於不顧一切地在公開場合爆發，至此，兩人關係的齟齬正式白熱化。

對此，龍應台則說，她事先完全不知情，同時也在議會中表示，這純屬「烏龍事件」她願意道歉。至於下命令給政風室調查林曼麗的專門委員羊文漪則爲龍應台喊冤，她解釋，因她看到雜誌上報導二美館的經費及規畫的問題，她認爲有必要加以了解，只好請政風室主任許志雲進行，但她認爲這是小事因此未向龍應台報告。後來，許志雲僅以電話告知北美館政風室上呈相關資料，結果該館的政風室呈內簽於館長，才導致這件「白色恐怖疑雲」就此而生。

沒想到，這件事尚未平息又再生波瀾，外交部向北美館提出希望借用場地舉行五二〇國宴，由於林曼麗與與陳水扁早有舊誼，再加上林曼麗也認爲，如此可提高北美館的國際能見度，因此樂見其成。在某天深夜，林曼麗打了一通電話到龍應台家中向她報告此事，龍說「我當時告訴她：讓我考慮一下再回妳電話」。之後，龍想起，幾天前馬英九也曾向龍提出希望以北美館作爲非藝術事件的宴會場地，雖被龍打了回票，但馬也未再堅持另覓他處。因此，十分鐘後，龍致電林表示，她認爲此事不妥，她希望能夠維持美術館藝術的高純粹度，國宴屬政治事件，不應介入藝術殿堂。龍應台打的回票令林曼麗更加不滿，隔天消息傳開，又是一陣唇槍舌戰。

林曼麗認爲，出借場地與否是館長的職權，國宴是相當高水準又意義的宴會場合，絕非「辦桌」，國際上更不乏前例，過去外界商借北美館場地從來不須取得市府同意，只因這次性質特殊她才向文化局報備，沒想到竟遭否決。因此，兩人再度隔空交鋒、相持不下，風波愈釀愈大，雙方互指「政治動機可議」，林曼麗認爲龍應台杯葛政黨輪替後的國宴場地，龍應台則堅持藝術殿堂不能爲政治所用，任何政黨皆然。

經過五個小時長談，前北美館館長林曼麗（右）與龍應台共同舉行記者會，不過卻仍是各說各話。

後來，爲了避免戰火愈演愈烈，由文化局副局長後來成爲接替林曼麗成爲館長的黃才郎對外說明，他表示，林館長應以發展館務爲重，而非「一切以政治配合爲第一要務」，黃才郎也重申，文化局以「文化本位」爲方向，政治涉入則免。

記者會風波

不過，龍、林兩人間的緊繃關係已達臨界點，五月上旬，林曼麗爲將舉行的「雙年展」向議會請假赴美考察，五月十一日，國、新兩黨的議員不滿林曼麗於議會期間請假，並關切兩人近日來的紛擾風波，龍應台首度在議會坦承她與林兩人文化理念不合，議員認爲，既然下屬與上屬產生扞格，那麼繼續留任只會造成傷害，因此要求龍應台必須在十天內做出林曼麗去留的決定。

五月十八日上午九時卅分，龍應台約見甫自美返台的林曼麗，原本計畫在一小時後舉行記者會，但兩人的闢室密談卻從原本的一小時一直延長至下午近三時，歷經五個多小時的馬拉松式長談才一同步出局長室舉行記者會。不過，雙方在記者會卻又演出一幕「一人一把號、各吹各的調」的戲碼。據龍應台事後的說法，林向她承諾願離主動離職，沒想到面對鏡頭時她又說會繼續爲北美館努力，讓一旁的龍應台頗感愕然。

林曼麗事後接受媒體詢問時透露，「原來當天的約談不是要和我『溝通』，當我一進去她就直接告訴我調職令已經簽好，內調文化局，當天生效。我跟她說，北美館有好幾個國際級展覽正要策畫，如果我現在離開，會引發軒然大波。所以在那五小時內，她一直要我承諾離職，不過我沒有答應，我只說會慎重考慮是否要離職，所以才會有記者會的各說各話。」

就龍應台的說法是，她的確告訴林曼麗要將其內調，她希望林能夠到局裡研發室協助她進行視覺藝術的統籌工作，但是林不願意，所以才會僵持不下，期間林曼麗多次落淚讓龍原本堅定將林調職的立場軟化。後來雙方各退一步，龍答應讓林任期到七月底，之後林就以學校借調期滿（林原任台北市立師範學院副教授）爲由離開北美館，並在記者會上宣布這項消息，但林在記者會上卻隻字未提讓龍相當訝異。由於這場密商並無第三者在場，因此究竟眞相爲何只有龍、林兩人心知肚明。

直到七月中旬，龍應台在赴美休假前夕表示她一定要看到林曼麗的辭呈，否則就強制調職，七月十四日林曼麗宣布辭去館長一職，回到市北師任教職，龍應台也立即批准，這場紛爭才終告一段落。

這件風波其實龍應台是可以避掉的，既然她與林曼麗中間出現如此大的理念鴻溝，甚至以部屬身分「下駟對上駟」在媒體直言批評，有違行政倫理。龍應台大可不必站上火線，最簡單的處理方式只要回歸行政程序，因爲林曼麗確實已經到了借調期滿。按照規定，大學借調一次可外借兩年、以兩次爲限，一九九六年十一月出任館長的林曼麗勢必得在二〇〇〇年暑假之前回到學校報到，否則下學期就無法規畫課程、順利開課。

這部分僅須只要人事單位出面以白紙黑字的法條說明，完全符合程序正義，不過，龍應台卻是在事件紛擾暫歇、身心嚴重受創的情況下才被人「點醒」，難免有「被擺一道」的悲憤感。

再者，龍應台雖然傲氣、霸氣十足，但她還有一個文人皆存的性格：心腸跟耳根子都軟，因此面對被她形容爲氣質婉約、外形柔美如「白雪公主」的林曼麗在她面前潸然淚下、懇求讓她繼續留在北美館，原本前一晚與局內幕僚達成「鷹派」強勢調職的決定，當場就軟

1999年9月，龍應台前往高雄拜會高雄市長謝長廷，當時氣氛融洽，完全無法料到日後針鋒相對的局面。

化成「鴿派」勉予答應林再留任一段時間，導致最後林曼麗在提出辭呈後仍對龍語多批判。

這件事對龍應台造成極大的內傷，讓她體會了「人」的複雜，並對長官與部屬、同儕的關係有了巨大的轉變。龍應台憶起，在她尚未走馬上任前，她的好友林懷民曾送給她一句格言「興利不要除弊」，她原本不甚了解這句話的意涵，經過這次的事件後讓她猶如醍醐灌頂、恍然大悟。龍應台自承，這件事是讓她從路見不平拔刀相助的「俠女」變成謀定而後動的「修道者」角色轉換的分水嶺，「因爲我知道我的俠女性格繼續下去一定只有死路一條」。

「亞太文化之都」的成立構想

另外一個讓龍應台產生巨大轉變及影響的人物則是謝長廷。

二〇〇〇年六月，龍應台邀集了亞洲包括南韓漢城、日本東京、印尼仰光、印度孟買、澳洲雪梨，以及國內廿多個縣市等四十多個城市，舉行一連三天的「亞太文化之都高峰會」，與會各國就自身在文化資產保護、文化產業發展的經驗進行交流討論，同時也藉此建立交換藝術家的共識與約定。會後大部分參與的各城市代表簽署一分「亞太文化之都」城市結盟書，從明年起各城市輪流舉辦亞太文化之都，並決定由台北任首屆文化之都的主辦城，而漢城爲接續的第二棒，以此類推，在不同的亞洲城市登場。

會後不久，九月底，龍應台趁前往高雄中山大學演講的機會，以「高雄人」的身分前往拜會市長謝長廷，內容就是圍繞在亞太文化之都的話題上，龍向謝表示這項活動是結合國內各縣市各自舉辦的大型活動，整合向國際推動的力量，「讓台北把舞台搭出來，燈光照在各縣市身上」，而不再由各縣市單打獨鬥，龍應台並力邀高雄市參與。當時雙方相談甚歡，謝長廷也送了一本他的著作給龍，並且對她的構想表示贊同也有參與的意願。

經過了多次的籌備會議，在二〇〇一年三月，文化局又再度舉行一場盛大的簽署會議，包括嘉義縣市、澎湖縣、花蓮縣、基隆市、金門縣、苗栗縣、台南縣八個縣市，加入亞太文化之都行列，至此全台廿五縣市完成結盟，南北串連舉辦亞太文化之都的聲勢在此時達到顛峰。

不過，龍應台這一頭興沖沖「搭舞台」的美意，卻無意間踩到當時正值總統大選選舉年的政治大地雷，又是一聲巨響引起轟然大火，把自己炸得灰頭土臉。

2001年5月，十餘個縣市政府首長齊聚一堂簽署亞太文化之都合作聯盟，不過，就在同時，高雄市長謝長廷正串連其他民進黨執政縣市共同抵制。

當時大受鼓舞的龍應台決定將她自宜蘭縣童玩節取經而來的方式運用在首屆亞太文化之都。龍應台認爲，宜蘭縣舉辦童玩節成爲馳名中外的藝術活動，成功關鍵在於該縣是傾全縣之力，由縣長領銜爲召集人、文化局長爲執行長，並且由各局處各就其所配合一起辦理童玩節，而非僅由文化局推動。如此一來，不僅可以發揮協調、運用的效率，也破除各局處間的本位主義。

於是，四月龍應台向市長馬英九提出希望由市長擔任亞太文化之都召集人、副市長任副召集人，市府各局處首長也都加入擔任委員的構想。龍應台說，當初她是「求著」市長擔任召集人的工作，希望台北市也能參照「宜蘭經驗」來辦理這次的亞太文化之都。

沒想到，這麼一來，招致高雄市批評台北市文化局此舉爲「矮化」其他縣市，意在爲馬英九增添政治資源；再加上，台北市編列了補助各縣市表演團體廿萬元的經費，更是引起「地方政府補助地方政府」的批評，似乎有將各縣市納入北市的意味，一場由謝長廷帶頭發起的抵制動作也在此時悄悄蘊藉中。

「亞太文化之都」風波

五月初，十九個縣市文化首長齊聚北市，共同舉行記者會，宣布亞太文化之都活動將在七月登場，而且各縣市計畫推出具有地方特色的文化饗宴。不過，南部原五個簽署城市卻不約而同電告文化局不參與這項活動，原本對於推動亞太文化之都相當熱衷的新竹縣文化局長蔡榮光就私下透露，「『上面』有點意見，我可能也必須退出」，還要求記者在報導此新聞時不要提到他的名字。

包括台南縣市，高雄縣市及屏東縣等民進黨執政縣市，爲了避免爲國民黨執政的台北市舉行的活動造勢，決定集體退出亞太文化之都活動，當中的關鍵角色就是謝長廷。

據說，謝長廷曾逐一打電話給民進黨執政的縣市首長要求抵制這項活動，不過，事後謝長廷則反駁這項傳聞，「我是公開講的」。謝長廷說，當時龍應台到高雄拜訪他時所提到的亞太文化之都架構和後來北市府提出的不同，最後出現的版本卻變成市長馬英九是活動總召集人，副召集人是副市長白秀雄，還將各縣市長和台北市的局處長並列在亞太文化之都的組織表上，整個架構看起來像是把各縣市都納入台北市，有「矮化」之嫌。

龍應台在議會備詢時，有人批評「亞太文化之都」執行瑕疵，有人指謝長廷太泛政治化，喧騰了一段時間。
（攝影／陳立凱）（轉載自《民生報》）

再者，謝長廷認爲，如今已是民進黨執政，爲什麼還要向台北市申請廿萬元的補助？當中有「文化綁樁」的意味。他的想法是，要辦也應由文建會主辦才是，地方政府向地方政府補助經費，實在很奇怪，對各縣市不尊重且是情何以堪，台北市辦亞太文化之都時若尊重各縣市，就該和各縣市平等合作。

不過，龍應台解釋，台北市政府補助廿萬元給各縣市文化團體，並非補助縣市政府，這是依照「台北市藝文補助條暨獎勵自治條例」中第二條第三款中補助國內外藝文工作者或團體的規定，當中還明載「申請者不包括各級政府機構」，因此對於謝長廷的指陳，龍應台則說「謝市長恐怕是誤會了」。

事實上，早在事件爆發前一周，謝長廷首次針對此事表達不滿時，龍應台就曾寫了一封信向他說明、解釋彼此理解的落差。不過，謝長廷方面一直未有任何回應。

至於，引發「爭排名」風波則可說是龍應台過於天眞的性格使然。龍應台的出發點也許禁得起考驗，但當她興沖沖地把宜蘭經驗搬到台北來時，卻沒有考慮到，亞太文化之都牽涉的並非只有一個台北市，也並非只有國民黨執政的縣市。當她單純浪漫地想「傾全市之力」將馬英九掛上召集人的頭銜，卻沒有衡量到當前政黨競爭、選舉將至的現實因素。

於是，就在骨架已成、血肉漸生的亞太文化之都即將揭幕前夕，謝長廷將對排名順序及補助款的不滿情緒一舉引爆，黨主席登高一呼，終於演變到多數民進黨執政縣市抵制、退出結盟的局面。

個性中理想濃度高的龍應台，在有時近乎一廂情願的想法作法中經常忽略現實與理想間的鴻溝，一頭就栽了進去還自覺委曲，她沒有考量到台北與其他縣市間交纏糾葛的政治因素及城鄉差異，當她登高一呼，同時也把自己推上最容易曝光相對亦是攻擊的位置，她希望利用自己的高知名度「餘蔭庇澤」其他名不見經傳的文化局首長及地方特色，但由於角色（非文建會主委）與作法的質疑，反而變成其他縣市興起「爲人作嫁」的觀感，使得亞太文化之都過程波折重重。

三折肱成良醫

對政治高度敏感有時卻又過於天眞的龍應台，常自稱是官場初級班的學生，當遇到敏感大選年的「隨堂考試」，分數相當「慘烈」。經常把「維持文化純粹度」掛在嘴邊的龍應台似乎特別容易遭到政治病毒的襲擊，她也吃足台灣社會凡事泛政治化的苦果。

不過，「三折肱而成良醫」，在短短一年半中歷經重重政治力的侵襲與糾葛後，龍應台徹底體會到「政通人和」的道理，因爲如果不避開政治因素的干擾，任何的業務都無法推展，而主觀意識甚強的她也學會了尊重不同的聲音與觀點，甚至她以「忍辱負重」來形容自己的心境。在此之後，龍應台無論在議會或行政上，漸漸地「沉寂」下來，不再是衝突事件裡的要角，「在價値不清的時代裡，『忍到底』是我的最高指導目標」。

一路走來的風風雨雨，聰明如龍應台學會了圓融、適度折腰，明哲以保身，漸漸悟得了「爲官之道」，終於從陰霾走到晴空。不過，原來那個敢衝敢撞、愛憎分明、直言坦率的「作家龍應台」，卻彷彿隨著「局長龍應台」走到了「政通人和」的大太陽底下失去了鮮明的蹤跡，原汁原味固然嗆辣，卻是大快人心、回味無窮，很可惜，這些特質都少再表現。

天眞爛漫、直來直往是龍應台個性中難得又可愛的部分，兩年多來雖磨練了她在官場中從容來去的智慧與身段，卻也無可避免地加厚城府。這樣的「感慨」並非全然來自「唯恐天下不亂」的媒體角色，而是龍應台已經慢慢地從「官場初級班」進階至「中級班」，在行事、談話時不時包裹著政治的思維與考量，變得謹言愼行；或者在有意無意間運用媒體，傳達某些她欲被廣爲周知的訊息，彷彿不再是過去暢所欲言、坦率直接的龍應台。

龍應台的轉變部分是她「痛定思痛」後的領悟，某部分則是或許連她自己都不自覺。「理想和現實『妥協』何其困難，而理想與現實『妥協』之後究竟剩下的是理想還是現實呢？」這是龍應台在其著作《百年思索》中曾發出的擲筆一嘆，從理想的雲端走到現實泥沼中的龍應台，想要保持光環又不弄髒腳地到達彼端，這當中的「恐怖平衡」又是何等的困難？

可以這麼說吧，當「局長龍應台」的角色愈稱職順遂，「作家龍應台」的身影就愈發令人懷念。

第二章

第二章

龍應台上任以來，爲台北市掀起一股「綠色」風潮，她對於綠色資源的重視與執著讓人印象深刻，也有人不以爲然，從樹木保護、提倡單車文化、設置迷宮花園等，不論愛或憎，她的確給台北市帶來全新的綠色思維，例如道路、建築可以因樹木而改道變更設計，樹木是活文化，這樣的觀念一再地被她所帶起。

熱愛綠色植物的龍應台在青草巷改造完成時親手植下薰衣草。（攝影／杜建重）（轉載自《聯合報》）

龍應台的眼睛爲什麼特別容易「看見」這些過去所被忽略的事物，與她一路走來的成長背景有著密不可分的關聯性。

出生高雄縣大寮鄉的龍應台，雖然自小隨著警察父親輪調而遷徙不定，但從台南女中、成功大學，她一直都是個南部農村與漁村長大的小孩，鄉間的成長歷程讓她對自然景致多了一份眷戀；即使到了一九七五年她到了美國堪薩斯州攻讀博士學位依舊處在好山好水的環境中，更遑論爾後旅居到綠野無盡的瑞士、德國。

龍應台不只喜愛植物，在德國法蘭克福的家中偌大的庭園裡，到處都是她一鏟一培的成果，在她的著作中也都很輕易就能嗅聞到自然原野的氣味，例如「她把鬱金香和水仙的種子埋在地裡，希望春天來時，園子會有風信子的香味；拔起根依舊可以感到根的潮濕、土的潮濕中的蒲公英…。」

龍應台對綠意的熱愛與熟悉也表現在她日常的工作中，每到一處地點會勘，第一個吸引她目光、駐足再三的肯定是樹木花草，「這是『含笑』」、「那是『白千層』」，她喜歡站在樹下一一「點名」，不知道名字的一定要固執地查個水落石出，久而久之還贏得了「果農的女兒」的稱號。

一雙對綠色特別敏銳的眼睛，也是促使龍應台大力推動樹木保護運動的最大動力。早在前市長陳水扁任內，當時民政局就曾辦理北市百年老樹的登錄、造冊工作，不過對象僅限於「百年」以上的老樹。

文化局成立以後，就將該業務移撥過來，有些人不免疑惑：「文化局管樹？是不是有點『撈過界』？」相較於其他縣市將大樹的主管機構列在農業局、工務局管轄「見山是山」的歸屬方式，北市的著眼點在於樹的「軟體」意涵，從樹所在的土地與人的牽繫、互動，乃至於城市的整體記憶，樹不光只是樹，樹木所縈繞的情感就像看不見的根部一樣，深植在土壤中，將大樹從實用的具象至抽象的文化意涵，也是文明社會的觀念進化。

龍應台還曾說了一個讓她深刻低迴不已的小故事。有一年，她到德國威瑪小鎮拜訪，這是一個十八世紀只有十萬人口的迷你小鎮，可是在一七七〇那年寫下「少年維特的煩惱」的大文豪歌德，擔任威瑪市的文化大臣兼圖書館館長，當時他把所有世界頂尖的藝術家如巴哈、席勒等全請到了威瑪，造就了威瑪在日耳曼民族歷史上「小兵立大功」輝煌燦爛的一頁。

因此，龍應台特地去當年歌德辦公的圖書館參觀，庭園裡有一棵綠蔭遮天的銀杏，館員告訴她，這棵樹是歌德上任時，有人自中國捎來小樹苗送給他，由歌德親手植下的樹，樹齡恐怕也有兩百多年了。這段描述深深地撞擊了她的內心，哲人早已不存，但他所栽下的大樹依舊綠意長青，不隨時光流轉而逸散，那種「今月曾經照古人」的悸動令她難忘。

台北市是一個急劇變化中的城市，都市化的腳步在戮力往前奔跑時，許多記憶與痕跡都跟著消失在時代的巨輪下，成了一個永遠是「樹小牆新畫不古」的社會。龍應台認爲，她無法也無意阻擋都市的發展，但在開發的過程中原來就在其上的樹木應該是可以被保留的，它不但能夠成爲「特色」與「賣點」，也能爲城市挽留著一些人與土地的情感印記。

龍應台於2000年1月會勘木柵路一段巷子裡的老樟樹，開啓了文化局保護老樹的濫觴。（攝影／胡國威）（轉載自《聯合報》）

為老樹奔走

一直以來，公務單位或民間開發商的「慣例」是，凡是遇上新建道路或建築上有「擋道」的樹木，最省事、經濟的作法就是砍掉，行有餘力再設法移植。不過，這種想當然爾的作法在龍應台上任以後有了極大轉變，當然也多了不少「麻煩」。

二〇〇〇年一月，龍應台上任三個月，當時木柵路一段二三八巷上有棵老樟樹恰好位在新工處的預定拓寬道路上，眼見著老樟樹就要湮滅在都市化的巨輪下，不捨的居民向議員陳情希望爲老樹請命，龍應台就跳出來疾呼，希望拓寬計畫能夠有所轉寰，讓老樹能夠繼續安享晚年。

後來，新工處長指示暫緩拓路工程，直到協調出對老樹較佳的措施後再進行，二月的協調會中決議將老樟樹保留繼續在原址長保綠蔭。雖然老樟樹最後如願地保留下來，但這椿案例也讓龍應台深刻體驗到光靠道德勸說或後知後覺的救樹行動都太過消極，必須制定法令來做爲積極性的預防，成爲日後文化局推動立法、設置「台北市樹木保護自治條例」的濫觴。

為許多老樹的存亡奔走的龍應台。

類似的請命、「刀下留樹」的案例一再上演，龍應台用既強勢又輔以道德勸說「剛柔並濟」的方式設法爲台北市留下一同走過歷史的老樹，當然她的作法也讓府內其他單位迭起怨言，因爲爲了配合文化局的要求，工務單位屢屢須變更設計，增加作業、預算等，甚至認爲龍應台挾著馬英九「恃寵而驕」，因此也爲她惹來不少負面觀感。

不過，這就是典型的「龍式風格」，只要是她認爲對的、應當做的，她會不顧一切的反對堅持到底，這就是她口中的「溫柔的堅持」，不過，有些人卻認爲堅持大於溫柔的「霸氣」。文人擇「善」固執的拗脾氣，龍應台可是坐實了這張椅子。

但不可否認的，龍應台的綠色革命的確帶起新思維，並獲得企業界的支持，同樣也是「庄腳囝仔」長大的普訊創投公司的董事長柯文昌在一次餐敘中，與龍應台相談甚歡，他非常贊同她的綠色理念，因此當下就決定捐五千萬元予文化局做爲樹木保護運動，並將二〇〇〇年訂爲台北市「樹木保護元年」，有了企業的挹注爲台北市的樹保運動添了不少助力。

樹木保護運動

經過一次次的集思廣益及參考宜蘭縣所制定的「樹木保護法」，北市版的「樹木保護自治條例」在一年後出爐，當中最大的特色是，不以「年齡」及「登錄造冊」規範保護對象，而是規定凡「樹胸高直徑〇・八公尺以上；樹胸圍二・五公尺以上；樹高十五公尺以上；珍稀或具生態、生物、地理及區域人文歷史、文化代表性之樹木，包括群體樹林、綠籬、蔓藤等」符合四項中的其一就是文化局保護的對象。

一手催生自治條例的龍應台希望有一天台北市的小朋友能夠像德國的小孩一樣，不僅對樹木保護的規定朗朗上口，甚至比大人還要清楚。她還說了一個故事來印證她的「所言不虛」。

龍應台一家人中，不只她是「樹癡」，從小耳濡目染又身處環保意識強烈的歐洲，龍應台的兩個小孩也都是愛樹人，一樣喜歡種花蒔草。在法蘭克福家中，龍應台的書房外植有一棵茂盛的大松樹，全家人都愛極了它的枝繁葉茂，綠蓊鬱鬱。

只是，隨著根鬚綿密的大松樹一天天的茁壯，龍應台發現松樹的根已經蔓延錯結到影響建築本身的結構，屋子甚至開始出現裂縫，不得已的情況下，全家舉行家庭會議商討大樹的去留。最後，全家決定將松樹另移他處，正當大人準備動手時，當時年方十歲的大兒子安安提醒她，這棵樹已經達到法律規定移除時須要報備、申請核准的高度，我們是不是應該先提出申請再行動？小朋友的一句話讓她對於歐洲推展樹木保護觀念之深且廣「既羨慕又嫉妒」，她希望，有一天台北的小孩也能像歐洲的小孩一樣，信口捻來就能時時「提醒」大人樹木保護觀念。

這項被龍應台視爲綠色革命重要一環同時亦是她任內自豪的，立法條例，在議會「躺」了兩年多，原來她已完全不抱任內通過的期望，但在這一屆會期的最後一天產生戲劇性的轉折，十月廿六日深夜三時多終於通過三讀，踢進遲來的臨門一腳。

當晚，爲了趕在會期結束前能夠排上最後一班審議列車，龍應台打了不下五、六十通請託議員的電話，連一向立場、黨派相左的民進黨議員羅宗勝，在議會通宵挑燈夜戰審查法案時還「撂」下一句：「除了樹木保護自治條例外，剩下的我通通反對！」這樣的喜劇收場令龍應台雀躍、欣慰不已，直呼這是送給文化成立三周年最好最大的禮物。

雖然，法律遲至二〇〇二年十月底才通過，但近兩年來台北市的樹木保護意識仍比以往抬頭不少，文化局幾乎每天都會接到民衆「報馬仔」的電話，希望文化局趕緊去搶救住家附近恐將不保的大樹，建商在申請建築執照時，也會主動遞上樹木移植的計畫書，甚至還有不少建商自動或被動地爲原址保留基地內的樹木而變更設計，當中最著名的例子就是位於北投第一家溫泉旅館舊址「天狗庵」一度峰迴路轉的案例。

去年夏天，龍應台偕同多位學者前往北投第一家溫泉旅館「天狗庵」遺址會勘，這間創立於西元一八九六年，由日人平田源吾在北投地區開設的第一家溫泉旅館，當年日式的建築如今已不復在，現址由日勝公司購入預備改建爲高十三層樓的觀光溫泉旅館建築。

當時，市府官員、學者、居民針對基地上殘存富含歷史意涵的石階梯、老樟樹、大榕樹如何保存，與開發商日勝科技一同討論。當時，開發商即表明十多層的飯店大樓已在設計中，爲求基地完整，將移除階梯和老樹，因爲這些殘留物並不受文化資產法保護，建商花錢買地，當然有權對地上物逕行處置。

建商談話和出席的古蹟專家意見相左，樹木專家認爲老樹移植存活率難估，如能現地保留是最上策。這項爭議由於現行法令無法要求建商禁拆禁伐，只能道德勸說，因此，開發商能做多大讓步，其實，龍應台沒把握，亦無強制力。

不過，經過數月的折衝與斡旋，最後以戲劇性的喜劇結果收場，日勝科技同意原地保留老樟樹與石階梯。龍應台認爲，台北市進行大樹和綠色資源保護，雖然當時立法程序還差臨門一腳，但民間建商展現配合的誠意，因此，文化局也將日勝視為老樹保護的「模範生」，希望作為其他開發商的楷模。

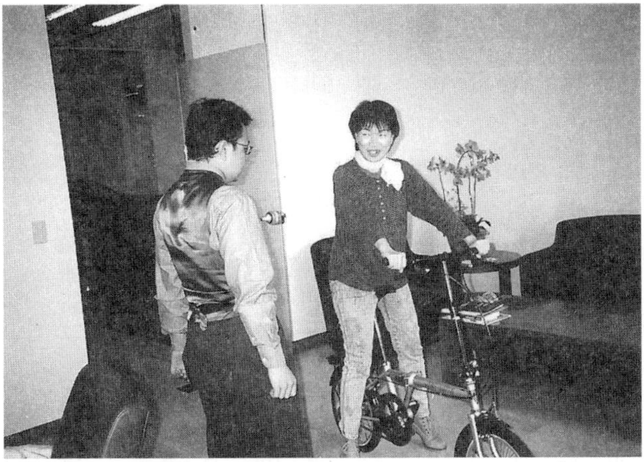

龍應台收到一個驚喜的禮物——這輛腳踏車是《聯合報》暨《民生報》發行人王效蘭女士送給她的。

龍應台的單車夢

除了大力地為「樹命」奔走外，龍應台的「綠色」意識尚不僅止於此，她也大力提倡單車文化。出任公職後的龍應台最大的痛苦就是每天唯一的動線就是從住處到市政府，不僅得坐在車裡困在車陣中，讓喜愛運動的她覺得自己「骨頭都要散」了。於是有天，她突發奇想，「如果有輛腳踏車每天從家裡騎去上班多好！」

不久，在一次與幾位朋友聚會的場合中，她興奮地透露自己的想法表示正準備去買輛單車，席間《聯合報》暨《民生報》發行人王效蘭女士想起報社的倉庫內還堆了好幾輛贈獎活動沒送出去的腳踏車，因此當場就要她「甭買啦，我回頭去倉庫找輛給妳！」

過兩天，一輛嶄新又輕巧的折疊式腳踏車就送進龍應台的辦公室，讓她高興地當場就跨上車在辦公室走道上「試車」，她還向司機「宣布」：「從明天開始，你不用來家裡接我上班啦！」事實上，騎腳踏車上下班的市府首長她並非第一人，像過去前市長陳水扁時代的交通局長賀陳旦就是奉行者。

不過，「幻想」著每天下班可以騎著腳踏車踏著夜色回家、早上再沿著晨曦一路鳥語花香到市府上班的龍應台算盤撥得太過如意，那一陣子幾乎都是在辦公室加班到午夜才離開的她，早就精疲力竭根本連踩踏板的力氣都沒有，而且基於安全問題，她的秘書也勸她「改天下班早一點時，我再陪妳一起騎回家，好不好？」

既然，晚上太晚不安全，早上總可以騎了吧，不過，每天睡眠不足的龍應台幾乎每天一早就有會要開，所以早上經常都是連滾帶爬從家裡直接就上了司機的車，有時還是等了好一會兒的司機打電話上樓，才發現她的鬧鐘只「叫醒了一根手指」。開會都來不及了，那還有閒情逸致騎著腳踏車迎著朝陽往市政府出發，而且坐司機的車，不但省時，最重要的是，她還可以在車上補眠。

龍應台有次還真的實現她的願望，從鄰近大安森林公園的首長宿舍騎至市府，但卻也嚇壞了習慣在國外寬敞筆直、車又少的道路上騎單車的她，在交通尖峰時間她辛苦地在慢車道上與成千上萬的摩托車「爭道」，小巧的腳踏車顯得異常單薄。再加上惡劣的空氣品質，更是令她短短三、四公里的路騎得頭暈腦脹、眼冒金星。

好吧，既然上下班的時間不適合，龍應台遂退而求其次，市府至議會短短一、兩百公尺的路程總可以騎了吧。那一陣子，她還眞得每天自己「扛」著可以折疊的腳踏車上下市府電梯，到了市府門口便像頑童出籠般，跨上車「咻！」一溜煙地就往議會方向馳騁而去。

每年固定舉行的「春天占領台北」活動，從中正紀念堂一路騎往新生公園，是龍應台酷愛的騎腳踏車運動。

由於兩棟建築物間恰好有車輛禁止行駛的府前廣場，所以她更是如魚得水般一遍又一遍地來回「追風」。有回，她更是直接騎著腳踏車一路「衝」進議會大門，來不及反應的門口警衛簡直嚇壞了，以爲是那位不明人士「直搗黃龍」趕緊上前「制止」，結果發現是龍應台，只好和顏悅色地告訴她：「龍局長，對不起，議會不能直接騎『交通工具』進來，要用走的，而且也不能騎進議場。」「喔，這樣啊！」她便不慌不忙地順勢把腳踏車交給警衛「保管」，再上樓進入會場。

不過，龍應台常常會趁著中場休息的時間「溜」下樓，又把腳踏車牽出來在市府前廣場騎了又騎，她形容這叫「放封」。往往都要等到府會聯絡人從議場裡追出來跟著她又跑又喊地：「局長，快要來不及囉，會已經開始了！」「我再騎兩圈就好！」過足了癮才意猶未盡地把腳踏車交給警衛暫管。不過，龍應台能騎腳踏車的機會實在太少了，所以現在她的腳踏車已經成了她辦公室裡的「擺設」之一，被主人冷落了好長一段時間。

除了身體「試圖」力行外，龍應台也力圖推廣單車文化，從她上任的第二年，每年三月她都會舉行「春天占領台北」修禊禮的活動，並且將起點中正紀念堂至終點新生公園沿線路段交通管制，這也是中山北路史無前例地封鎖慢車道，讓自行車隊能夠在風光明媚的中山北路上暢行無阻，一連舉行三年，從未間斷。曾經與兩個兒子騎單車沿著萊茵河，用了兩個星期走了三百公里的龍應台，希望能夠藉此帶動城市的單車風氣。不過，在沒有自行車專用車道等相關配套措施，龍應台的台北單車夢依舊只能每年實現一回。

龍應台另一個綠色創意就是將歐洲常見的「迷宮花園」搬到台北市，對於迷宮花園特別入「迷」的她，在位於飛機航道上使用率偏低的新生公園覓到一處一點五公頃的地，並且發揮她強大的「吸金術」獲得國際扶輪社五百萬元的捐贈，在二〇〇一年四月正式綠意迎賓，現在民衆在搭國內線準備降落松山機場，在空中就可以看到以八卦陣排成的迷宮花園，成爲台北一項特別的地標，這也是龍應台一項綠色夢想的實現。

當記憶的浪潮湧入，城市就像海綿一樣將它吸收，然後脹大。但是，這座城市不會訴說它的過去，而是像手紋一樣包容著過去，寫在街角，在窗户的柵欄，在階梯的扶手，在避雷針的天線，在旗杆上，每個小地方，都一一銘記了刻痕、缺口和捲曲的邊緣——

伊塔羅—卡爾維諾，《看不見的城市》

龍應台三年任內有一項相當重視且花費極大心力的工作，就是推動「閒置空間再利用」。「閒置空間」包括很廣，古蹟、歷史建物、名人故居、市有財產等就在其中，這背後有她多重的思維：台北是一個過度擁擠的城市，當務之急並非再去興建新的建築，而是應該把現有廢棄的空間設法恢復使用，這與她「綠色環保」觀念有極大的關聯。

再者，更深沉的文化意義是，放眼華文城市，台北的優勢何在？若要比山水，大陸任何地方的大山大水根本是小巫見大巫；若要比歷史古蹟，以龍應台的形容「誇大的說，北京就是狗吃飯的碗都是宋朝的」；若要比現代的管理文化，香港、新加坡的管理效率也走在台北前面。所以台北能夠與其他華文城市突出的就是「人文的厚度」，因爲大陸在歷經文革後大起大落的波動，人文厚度被切斷過好幾次；在歷史因素的影響下，香港、新加坡的人文厚度則不如台北完整、深遠。

因此，龍應台希望以台北的人文優勢作爲競爭特色，「這麼多重要的人爲什麼偏偏都落在台北？」台北擁有爲數衆多的名人故居，在龍應台眼中都是一顆顆從未被拭亮或是蒙塵黯淡的珍珠，她的任務就是「擦去灰撲撲的外表，讓珍珠重放光芒」。並且進一步把這些老房子的歷史與光采找出來，進而轉化成文化資本的元素存在，透過閒置空間的再利用將「文化產業化」。

「從鬼屋變珍珠」的台北國際藝術村

龍應台在上任沒多久，就透過市府財政局全面清查閒置的市有地，然後再粗分爲堪用待修與完全報廢，前者就成爲文化局尋覓辦公廳室的優先順位，最明顯的例子就是位於北平東路上捷運局廢棄的辦公大樓所改建而成的「台北國際藝術村」。

這棟房子在捷運局遷到中山北路新辦公大樓時就呈無人使用的狀態，建築尙稱穩固但內部髒亂不堪，當時龍應台相中了這塊地作爲台北市興建藝術村的場址，由於所須資金龐大，第一期工程款還是動用市長的第二預備金，後來第二期無以爲繼，透過廣達公司董事長林百里捐贈兩千萬元的挹注，才讓工程順利進行。

來自以色列、宏都拉斯、韓國的藝術家於2001年10月，一起與台北市文化局長龍應台為台北國際藝術村揭碑。（攝影／林俊良）（轉載自《聯合報》）

經過歷時一年多的工期，原本老舊的建物煥然一新，龍應台還戲稱「從鬼屋變珍珠」，並在二〇〇一年秋天正式揭幕。台北國際藝術村建物占地約四百四十坪，計地上四層、地下一層。藝術村內設置十間套房與工作室，供台北市駐市藝術家居住使用，並配備有專屬的練琴室、排舞室、畫室、多媒體剪輯室、暗房、工具間等，讓攝影家、影片編導、作家、畫家、舞蹈家、音樂人等在台北停留期間還可進行駐地創作。

此外，藝術村的一樓設有展覽室、資訊交換中心、咖啡館、演講廳，提供專業的展覽演說功能，促進國內外藝術家的交流。台北國際藝術村的另一特色，即是同時開放提供予外縣市的交換藝術家，以及海外華文創作者，使得台北市邀請來的駐市藝術家，有機會能和台灣其他縣市進行交流。

設置藝術村很大的作用就是讓駐市藝術家能在此創作，對於推動藝術家交換花費巨大心力的龍應台在剛開始時不免受到質疑：邀請這些駐市作家有什麼用？是不是要他們寫一本書才能離開台北，甚至在議場中她都得爲這筆預算大力辯護。她強調，邀請駐市作家來台是要「放長線釣大魚」，駐市作家來台雖然只有短暫的時間，但已留下台北經驗，不管是好是壞，以後會發出幽微的光，甚至可在作品上留下台北印象，讓不同文化有平等對話的機會。

對於以華文寫作的作家身分而言，龍應台的觀察發現，台北有北京、上海缺乏的開放，更有新加坡、香港缺乏的中國傳統，對於作家來說，語言與文字便是其領域。對於許多在六四以後流亡西方的大陸作家，她希望在失去政治的母國後，台北能成爲他們文化的母國，同時，台北將敞開大門，歡迎這些住在外國的大陸作家來台。

根據統計，國際間目前約有三百多個大大小小的藝術村，在歐洲許多藝術村都是由舊建築改裝而成，包括古堡、溫泉旅館、汽車展售中心、煙草工廠等。這項龍應台自國外取經得來的構想，很能展現她一慣強調的「國際觀」，她希望台北國際藝術村也將與國外的藝文組織進行密切的互動，形成訊息、人員、創作、展演等國際藝文動態同步跨界串聯，讓日益蓬勃的台北藝文環境與國際同步接軌，成爲台北市推動城市文化交流及各國駐市藝術家駐足的據點。

從育「蚊」中心轉型的徐州路「藝文沙龍」

另一個閒置空間再利用相當成功例子就是徐州路市長官邸藝文沙龍。

建於一九三五年採「和洋混合」建築、景致優美的市長官邸，面積約一百五十二坪，光復後一直做爲台北市長官邸之用，包括李登輝、許水德、黃大洲都曾居住過。在前市長陳水扁時期即開始規畫委外經營，但由於市府限制廠商的營利面積僅樓地板的百分之十，再加上回饋金比例過高，導致在廠商投標意願不高的情況下屢屢流標，此後一直閒置未再開放，甚至還一度曾被議員揶揄爲「育『蚊』中心」。

龍應台上任後不久發現了這塊「文化後花園」，在多次爭取下，財政局放寬營業面積至百分之三十，而市府不須編列任何預算支應。二〇〇〇年九月間由時報育樂公司取得三年的經營權，並在同年的十一月六日文化局成立一周年當天以「藝文沙龍」之姿重開大門。

新開放的藝文沙龍內有容納約八十至一百人的室內小劇場，沙龍內也有一座雅致的藝文咖啡館，喜歡在喧囂的台北尋找靈感和寧靜的民衆也將多添一處世外桃源。沙龍附設的小書店將以典藏詩文書籍爲主，並有非書類的CD以及有聲書，還有不定期的舉辦書畫藝文展覽。

藝文沙龍開放以來儼然成爲台北藝文界往來及民衆休閒的重鎮，平時的開放日均是高朋滿座，藝文沙龍的成功轉型，帶動人潮並呈現別致的風格，連帶使得附近房價跟著上揚，還有建商推出與「市長官邸藝文沙龍」爲鄰號召的房地產，可見其魅力之大。類似的案例還包括長安東路上由前市政大樓變身成的台北當代藝術館，同時帶動附近房地產、商圈的發展。

活化閒置空間同時也促成了台北許多老樹開出新花，下面連著的是文化的根，包括修繕多時睽違五年之久的二級古蹟中山堂，以及同時在台北「消失」很長一段時間的三級古蹟西門紅樓，也都在這兩年間一一在台北的人文地圖上重現。

中山堂過去曾是清代最高行政單位「布政使司衙門」的原址（原建築現存於植物園中），日軍攻台時，台灣民主國在此成立，十餘天後因不敵日軍優勢武力而告瓦解。日本據台初期，也在此設立總督府統治台灣，直到總督府（今日總統府）興建完成爲止；日方並在一九三六年爲了紀念日皇裕仁登基及因應三〇年代台灣日漸蓬勃的民間文化活動，所以就在原地興建「台北公會堂」，做爲民衆集會的場所。

台北公會堂是日據時期台灣最重要的藝文表演場所，亦是日本母國之外，在所有殖民地裡興建最繁華的集會場所，包括國宴、日軍受降典禮都在此舉行；國民政府遷台後，國民大會長駐於此，並選出蔣中正、嚴家淦等正副元首，具有相當高的政治象徵意義。

除了政治意涵之外，更重要的是，由於中山堂豐富的藝文展演設施，也使得她成爲許多藝文前輩首演的場所，包括新古典舞團創辦人劉鳳學、蔡瑞月舞蹈社創辦人蔡瑞月、雲門舞集總監林懷民等，現今舉足輕重的舞蹈家當年都是在此首演。台灣第一位留日的雕塑前輩黃水土的「水牛群像浮雕」至今仍高懸於登樓的階梯上，多年來中山堂也承載台灣藝文界獨特且甜美的情感。

龍應台認為，滿載著市民回憶的中山堂不論對庶民或精緻藝術都有非常重要的意義，走過中山堂的歷史就等於是走過台北的歷史。中山堂在二〇〇一年十二月底以「藝文重鎮」之姿重新開放，整修後的古蹟重現台北公會堂典雅恢弘的建築原貌，內部不僅將設置可容納一千兩百席的專業演藝廳，同時廣場上空間也釋出做為音樂會、戲劇演出，讓中山堂豐富的歷史之美再現，繼續創造台北人共同的記憶。

另一棵老樹開新花的案例，就是二〇〇二年七月間以「說唱藝術中心」型態重出江湖的西門紅樓。距今已有九十四年歷史的西門紅樓為一座紅磚造的八角形二樓洋式建築，是日據初期台灣所建較早的市場，同時期全台所建的市場後來大都已改建，唯獨西門紅樓留存下來，頗具歷史價值。

在龍應台的眼中，這是一項指標性的古蹟活用案例，不僅結合當地特色，同時也賦予老區新生的雙重意義。「紅樓做為『說唱中心』不是巧合，或是突發奇想。」她說，過去紅樓就是京韻大鼓、快板、相聲等說唱藝術展演的舞台，同時也是跨族群、語言，相當能展現台北豐沛多元的場域。

更重要的是，西門鬧區不光只有染著紅頭髮的青少年、追逐流形飾品的表徵，透過西門紅樓的誕生，讓聽慣Hip-Hop的青少年有不同的選擇，而喜愛聽戲、說唱藝術中老年人也擁有一處聆賞的去處，讓這座許多老台北人記憶鮮明的老市集，以另一種貼近生活的型式重綻光芒。

龍應台認爲，讓老樹開出新枝，更深一層的意涵是「空間解嚴」的概念，讓台北許多過去鎖藏在政治、權力看不見的場域一一被看見，「民主開放並非是幾場喧鬧的選舉或是將宮廷內鬥搬上國會，而是公共空間的釋放與解嚴。」

見證歷史的美麗建築——台北之家

最好的例子就是位於中山北路二段上二〇〇二年十一月十日以「台北之家」新貌，重新在樟樹與楓香的林蔭間探出頭的前美國大使官邸。

隱身在灰色圍牆及蒼鬱綠蔭後的前美國大使官邸，風格接近美國南方的殖民樣式，但她卻是在一九〇一年由日人興建設計完成。民國十五至三十年，她是美國駐台北的辦公室，但自民國四十二年後，有長達廿六年時間是作爲美國大使官邸使用。第一任住進現址的是駐華大使藍欽，同年底，美國副總統尼克森抵華訪問時即下榻在此。官邸前後歷經六任大使，許多攸關台灣安全的歷史協定，就是在這棟美麗建築中簽署完成。

一九五八年，八二三砲戰爆發，美國駐防太平洋第七艦隊指揮官在此設立指揮所，運籌帷幄的軍事謀略就在這屋脊的西式吊燈下一次次上眼。七〇年代台灣關係走入風雨飄搖

美國在台協會台北辦事處長包道格2002年9月間應龍應台之邀，參觀前美國大使館改裝成的台北之家，並細說30多年前以美國大兵身分來台北的陳年往事。

（攝影／潘俊宏）（轉載自《聯合報》）

年代，中美關係開始鬆動，一九七九年一月一日，中美斷交正式生效，隨著末代駐華大使安克志遷出現址離台後，從此人去樓空，大使官邸就此隱沒在車水馬龍中，徒留往日的衣香鬢影、庭院深深。直到兩年前，台積電挹注六千萬元予市府作爲修復之用，讓歷經廿餘載寂寞歲月的大使官邸得以風華再現，現在由侯孝賢領軍的電影協會組成經營團隊，將其活化成以電影藝術爲主題的藝文空間。

重啟大門後的「台北之家」設有八十八席位的藝術電影院，雖然她的前身曾住著多位美國大使，但此刻卻要開啟一扇不同於主流好萊塢電影的視窗。此外，維多利亞的花園凝聚下

午茶的悠閒氣氛，竹林則塑造中國文人雅士琴、棋、書、畫的文藝風。台北之家包括一樓光點藝術電影館、二樓多功能演講廳、藝文展覽室，並結合戶外藝文廣場、一樓的咖啡館、誠品書店、二樓的電影沙龍等，讓這座古蹟成爲台北歷史與電影文化的新據點。

龍應台說，不論是中山堂、紅樓或是台北之家，再利用後的新貌基本上都沒有悖離原來的歷史，盡量保持協調的可能，例如台北之家就是延續過去美國大使官邸做爲台北與國際接軌窗口的精神，讓景觀與內涵結合，不致有格格不入的突兀感。

名人故居留青史

更能展現龍應台重史性格的是，她手中推動一系列的名人故居：前立法院長黃國書故居圓山別莊轉型爲台北生活史館、錢穆及林語堂紀念館、殷海光、臺靜農、梁實秋、李國鼎，及本土歌謠「望春風」的作者李臨秋、布袋戲大師李天祿位於「老師府」等，名人曾經行腳駐留過的故居，在龍應台眼中，這些都是城市的珠寶，透過人文的角度，爲台北畫出一個「文化地圖」，名人故居系列就是其中的一條線，讓文化的面貌更立體，成爲台北閃亮的文化產業，同時也是台北面對國際競爭的重要資產。

不過，在這個過程中，龍應台不免會被質疑「不夠本土」，回歸到根本，當然又跟她所懷抱的史觀有極大的關聯。龍應台不只一次直言，她非常瞧不起意識形態掛帥、窄化的本土運動，她認爲這些都是短線操作的模式。在一次接受雜誌《中華天地》專訪時她就曾提到，對本土的重視要看對本土的定義是什麼，「我覺得我對『本土』的定義比那些本土派徹底。」

龍應台的觀念是，她看台北是以台北四百年發展來看，在台北史的脈絡中，不論是原住民、日本人還是台灣人、外省人都在這個脈絡中。龍應台的史觀是，不去看它歷史的功過、忠奸與歷史的評價，當然因此也惹來不少非議。

龍應台曾前往何應欽將軍故居會勘，裡頭有許多珍貴的老樹，龍應台隨手撿起一顆熟透而落地的芒果興奮品嚐。（攝影／林永昌）（轉載自《聯合報》）

像最近的一樁案例就是，前四星上將何應欽將軍位於牯嶺街上的故居在二〇〇二年中拍賣，開發公司元大企業計畫將房子拆掉改建大樓，因此龍應台便特別與建商聯繫一起重回故居，希望建商未來能在大樓前立一塊碑，即使只有五行字去交代這房子過去曾居住過的人與事，爲台北史留下一些歷史的記錄。

當然有人會認爲，何應欽在歷史上的角色存在某部分的灰色地帶，而他「外省人」的身分如今也是「政治不正確」，但龍應台堅持的理由很簡單：「我只要歷史記載一九四五年台灣主權回歸中國時，他是中國受降典禮的受降代表，這段歷史很重要，跟他是本省、外省無關，這段歷史一定要寫上去。」

龍應台覺得中國人和台灣人都太重視政治史，反而忽略歷史的多面性，因爲當她在推動名人故居系列時，她的構想是台北經濟發展史上有那些重要的人？他的故居在那裡？台北醫學史有那些重要的人，還有台北的農業史、文學史、金融史，這些全都可以留下記號。

而在這些過程中，龍應台另一個想法是，希望讓市民回過頭認識自己的土地，「每一段的歷史都是從自己的巷子出發」，所以龍應台去修老房子、老巷道，把一間間的名人故居再恢復起來、去搶救古蹟，爲的就是要告訴居民：這裡曾有過的歷史有多麼重要、特殊，不輸給美國華盛頓或倫敦的大教堂，不要任意輕蔑自己的過去，必須自重後別人才會重之。

例如，她對於艋舺青草巷的著迷與再造就是一例。

疼惜「青草巷」

提起萬華青草巷可說是「頂港有名聲，下港有出名」，不僅是一條具有百年歷史的文化產業街，同時也是全台販售青草最集中的地點，且仍保存清代中葉的街道紋理；前可銜接剝皮寮，旁邊則緊鄰香火鼎盛的龍山寺，是漢人在艋舺落腳生根的見證，具有特殊的文化氛圍。至於青草巷的由來，原先是民衆赴龍山寺求藥籤後，向附近推著人力車的草藥商購買青草，爾後逐漸成市，造就了青草店家齊聚的人文特色。

獨鍾老社區風情的她，上任第二年在當地里長的帶領下走訪鐘表街、鳥街、佛具街等特色街道，其中短短二三十公尺的青草巷，迷人的花草氣息，讓她印象深刻。對於這條頗具國際觀光吸引力的文化產業巷道有如璞玉般尚未發揮潛力，尤其當中所蘊藏豐富庶民史未被發掘重視，龍應台既驚豔又惋惜，因此，特別以青草巷作爲社區文化生活空間改善的示範點，讓青草巷有機會成爲台北活的文化櫥窗。

後來，文化局請來建築師著手進行空間改造計畫，這項爲時三個月的社區文化空間美化工程，包括地坪頂棚水電管線、公共照明、入口設置解說牌等周邊工程。這些在一般公共建設中看似不起眼的施作項目，卻是青草巷開市以來首遭工程浩大的「外科手術」，因此九家青草店可是抱著期待又怕受傷害的心情，參與這項老店重生的新挑戰。

此外，青草巷和龍山寺比鄰的廣州街二〇九巷，也趁機轉化成爲青草花園，由店家認

龍應台對萬華青草巷著迷，同時著手進行改造計畫，讓青草巷重綻光芒。（攝影／杜建重）（轉載自《聯合報》）

養並栽種青草活體樣本，讓市民了解青草的原貌，一旁也搭配青草巷的中、英、日文的背景解說牌，深化青草巷老街的人文意涵。

在龍應台的眼中，青草巷不僅是艋舺迷人的懷舊空間，又是可以活出當代價值的文化產業，絕對夠資格登上國際舞台，她希望這項經費不高、僅兩百萬元的工程能夠「小兵立大功」，一舉打響青草巷名號，變成觀光客來萬華時的參觀重點；同時，台北人在忙碌之餘也可以到青草巷嗅聞青草香。在硬體改造計畫進行的同時，她也讓當地居民認識到青草巷值得被重視的價值與內涵，讓居民愛惜進而以此為榮。

除了青草巷外，龍應台還計畫要把其它具有特色與歷史的老街、老巷、老宅，以英文、日文、法文介紹出去，讓外國人走進來認識台北，因此，「在我的眼中本土與國際根本是同一件事而不是對立的事件。」

另一方面，龍應台還把腦筋動到外商、駐華單位上，讓他們成爲老樹開新枝的助力。龍應台的想法是，台北市定古蹟目前有一百處，多數古蹟處於閒置或低度使用，看管維護條件不佳，希望藉由民間參與認養，改善古蹟硬體條件，包括內湖郭氏古宅、草山御賓館、撫台街洋樓、總督府鐵道部等閒置古蹟中擇一作爲辦公室使用。龍應台希望透過駐外單位與文化局合作，修復古蹟，不論是維修經費、租金、開放古蹟參觀等合作構想，都可以進一步協商，獲致雙贏的局面。

文化洪荒元年

改革豪情可以造就慷慨激昂、正氣凜然的反對者，放在執行者身上卻往往使他灰頭土臉甚至頭破血流。

——龍應台，《百年思索》

經過三年的耕耘，直到現在，龍應台還是以「文化洪荒元年」來形容她所面對的環境與困境，更不用提在文化局籌備階段的「史前時代」，從零到有的艱難屢屢讓她心力交瘁。有次，一位從傘兵退役的部屬提到，跳傘的心理壓力不在於從高空驟然一躍，而是背著往下跳的「傘包」是別人折疊的，「如果上一個人粗心大意，自己可能就會摔得粉身碎骨」，龍應台一聽立即擊掌驚呼：「這不就是在說我嘛！」

由於北市文化局是全台首之先，在「前無古人」及公家機構缺乏文化思維下，市府提出、議會所通過文化局組織架構、編制，對龍應台而言就像背著「外行人在混亂中折出來的傘包」往下跳，一開始面臨最大的難題就是受限於人才任用規定，導致面臨「有將無兵」，遍尋不到人才的窘境。

根據文化局組織架構，在八十人的編制中，當中六十九人須具有公務員資格，只有十一位可採聘任的方式，由於文化行政在國內仍是相當陌生的領域，通過國家考試具有藝術行政的任用資格者猶如「沙漠裡的花朵」，眞是少之又少。因此，龍應台不僅得要面對上百人角逐十一人位置，六十九個名額卻不到三十人競爭，不但「想要的人才進不來」，符合任用資格從各單位調來或是「卡位」而進入文化局的又不一定是眞正適任者，令龍應台傷透腦筋。

開始跑障礙賽

爲了鬆綁僵化的人事法規，龍應台不僅向市府人事單位屢次反映，在不得其解的情況下，她更多次行文及拜會考試院、銓敘部及行政院人事行政局、教育部等單位，希望能在立法院通過「聘任人員任用條例」前，比照教育人員任用條例任用文化專業人員。

不過，文化局成立近一年後，二〇〇〇年八月，考試院經專案小組以「不備查」否決文化局所聘任的十一位人員，導致這些人員成爲「黑數」，不僅人事費無法核銷，就連他們退休、公保、年資、撫卹都無法處理。如此一來，不但文化局繁重的業務備加吃力，更不會有專業人才願意在沒有保障的情況下進入文化局，讓文化局原本人員進用不易的問題無異雪上加霜。

因此，當時文化局也以行動劇的方式表達不滿，令龍應台不解的是，依地方制度法明文規定，直轄市政府組織設置與管理屬地方自治權，非憲法規定的考試院權責，依法考試院僅能「備查」，爲何無權過問的考試院要非理性阻撓？再者，行政院衛生署預防醫學研究所、國立故宮博物院及原子能委員會等單位都非社教機構，都能依教育人員任用條例聘用研究人員，且文化局經教育部認定爲社教單位，卻無法援用該條例，令她相當憤憤不平。

不過，至今考試院仍維持原議，因此文化局只能將這十一位人員轉爲約聘用，人員進用問題直到現在仍然是個沉疴，因此，文化局也成爲市府局處內流動率相當高的單位，文化局人員加班情形始終居高不下，對於業務推動與經驗累積無疑是一大斲害。

龍應台形容，這三年來她就像在跑障礙賽，「更多的時候我覺得自己像是《山海經》裡銜木塡海的精衛鳥，一趟又一趟，卻無法改變太多現狀。」對於文化法規的難以突破，是從文化行政以來讓她最感無力的部分。她說，新加坡一座濱海劇場在二〇〇二年底將啓用，象徵新加坡以文化面對國際發聲的企圖與決心，這背後需要多少有形、無形的工具才能蓋出這樣一座劇場？

回頭來看看台灣，兩年來，光是要讓街頭藝人得以在公共空間演出，她必須一一克服無數個限制他們不能在街頭演出的法令，另外，像文化資產保護法、公共藝術設置辦法等，也都有許多不合時宜的規定極需修法。如果說工欲善其事，必先利其器，她卻是連工具都闕如，就算有，「只給鐵鍬、鏟子卻要你去蓋一〇一國際金融大廈。」

此外，另一個「人」的問題還包括：台北的市定古蹟就有一百處，還包括爲數衆多的國定古蹟，其中多數破爛不堪，但文化局的編制，專管古蹟僅有一個股、三個科員，更荒謬的是，這麼多古蹟需要修復，但卻一個工程、審圖的建築長才的正式編制都沒有，龍應台只能到處借將調兵，其困頓可想而知。

再者，台北要把自己推銷出去，「資訊」是不可或缺的一環，但同樣的，資訊專業人才在文化局的正式編制中是「零」。諸如此類的問題，就像龍應台形容的，文化局是一輛別人設計好讓她來開的車，上路之路才發現，方向盤可以向左不能轉右，輪子還缺一個，讓她這個駕駛者跑得異常辛苦。

在礫石中植玫瑰

另一項令龍應台感到痛苦不堪的，就是政府採購法實施以來對文化界的綁手束腳，更因此而招來許多批評與不諒解。從一九九九年元旦政府採購法實施以來，規定凡是金額超過一百萬元以上的採購案都必須公開上網招標，用意本在遏止黑道工程圍標、白道私相授受，但由於服務採購也納入規範。也就是說，政府機關委託藝文團體演出、公共建設設置公共藝術，只要在公告金額以上，並且以契約方式進行採購的都必須遵守這項遊戲規則。

對「藝術無價」的文化界而言，最難忍受的莫過於被商品化，藝文團體向來被認為是重精神而輕物質，但採購法實施以來，他們必須像一般在商言商的廠商一樣，提計畫案、參與競標，公開接受政府的比價、議價。

除了被「商品化」而感到尊嚴受損外，行政程序的繁瑣也讓向來海闊天空、講求創意的文化人感到頭疼，在參與投標前，必須備妥所有資料，準備十分之一的押標金才能「參加遊戲」，得標則已，不得標，一切都化爲烏有。

龍應台就曾感嘆，要滿地礫石的沙漠上種玫瑰，卻連工具都不給，只能用手去植，採購法把文化藝術當成商品，承辦單位當成廠商，把文化價值過程當成招標採購，「藝術根本不能秤斤論兩」。由於文化局有許多古蹟修復、藝文活動、委外經營案等就必須仰賴有文化素養、理念的團體或個人來接手，但願意投標往往是不懂文化只懂行銷的人。

爲了避免「阿貓阿狗都來投標」，文化局也變成府內採取「限制性招標」比例最高的局處，所謂限制性招標，就是指不經公告程序，邀請兩家以上廠商比價或僅邀請一家廠商議價。不過，卻也因而曾招來議員的質疑，認爲文化局有圖利特定人士之嫌。

由於採購法對於學術界、文化界的捆綁太深，經由不斷的反映後，二〇〇二年二月中央修法通過，將政府採購法第廿二條增訂第一項第十四款「邀請或委託具專業素養、特質或經公告審查優勝之文化、藝術專業人士、機構或團體表演或參與文化活動」得採限制性招標，這項修訂相當程度爲文化界解套，更是讓龍應台額首稱慶。

除了來自文化局內部及中央、地方法規的挑戰，市府整體本來就沒有文化概念，工程單位向來沒有從人文、感情、景觀來考量，沒有文化的眼光，面對市府三十幾個局處，這是很大的窒礙。

巨獸之喻

龍應台形容政府結構就像一隻「龐然巨獸」，每一隻腳已經這樣行走前進了幾十年，而且走得很習慣，但巨獸的腦中是沒有「文化思維」的，這時，最好最快的方法就是改變牠的腦中樞神經，再傳達到牠的末梢神經。「你得告訴這隻巨獸，當牠往前走時，看到眼前的小花，能不能稍稍改變步伐，繞過小花再往前走，而不要一腳就踩了過去？」

龍應台說，文化局同樣也在這個巨獸的血液循環裡隨著牠的韻律在走，她所要發揮的功能就是除了要為腦神經注入文化思維外，也要讓政府機構成為一隻有著溫柔心靈又不失功能的巨獸。只是，要去調整一隻巨獸的步履與腦袋，並非一朝一夕可以奏效，雖然有點像是「愚公移山」的傻勁，但還是得一鏟一鏟地移。「從文人的『大破』走到公務員的『大立』，才發現大立實在要比大破難上百倍。」

政治因素也是龍應台上任以來一直如影隨形的鬼魅，在台灣凡事政治化思維掛帥下，她也吃足苦頭，屢屢誤踩地雷、陷入泥淖中。尤其在政黨輪替後，國民黨成為在野，北市府成為國民黨最後的領地，政治力的糾葛益烈。龍應台形容，現在台灣宛如「兩國制」，中央一國、台北一國。而在平常狀況之下，一個國家整體發展、競爭力跟首都的發展息息相關，所以國家應該努力培植首都來面對國際。

從東京都知事石原愼太郎隔海砲火、二二八紀念館續約風波、前台北美術館館長林曼麗公開批判、亞太文化之都導致高雄市長謝長廷聯合抵制等事件，都發生在文化局成立後短短的一年中，其中的原因、背景不盡相同，龍應台個人作風、聚焦作用是「易燃點」，而「泛政治化」則是「歹戲拖棚」共同的情節，讓許多原本可以揮灑的空間被迫壓縮因此變得虎頭蛇尾。

龍應台認爲，台北非常有條件成爲華文世界的文化重鎭，台北應該發揮所有的人文力量成爲華文世界裡的文化火車頭，台北該有那樣的氣魄也有那樣的條件。只是，這兩年中央、地方不停歇的對抗、互斥，讓台北成了「他應該是使出輕功、飛簷走壁的人，現在有一隻腳是用鐵鍊綁在樹上」，同樣也被綁在樹上的她輕喟一聲，「沒辦法，也只好綁著一隻腳繼續往前困難地走。」

角色轉換的掙扎

除了「公領域」裡的跌跌撞撞，龍應台對角色轉換也產生相當大痛苦，十多年來海闊天空、快意恩仇的文化人必須要適應從政者的身分，她自承就像「一隻旱鴨子突然被丟進水裡參加游泳比賽」般惶恐，以往自由自在的作家變成一天工作超過十五個小時的公務員，簡直就是從天堂掉到地獄，千層糕似的一樁又一樁壓在肩頭的業務，讓她每每有機會在外出行程意外「撿到」短暫空檔可以逛逛市集、聽聽鳥鳴，就讓她有「放封」的快樂與悲哀，有時在幕僚提醒下不得不回到辦公室處理公務，她還會無比惋歎地說：「又要回去坐牢了。」

剛回來台灣時的龍應台相當不適應，習慣了天寬地闊、寧靜愜意的生活環境，她也不得不承認「自己有點嬌貴」。例如，她很不喜歡吹冷氣，但台北的溫濕度讓她不得不使用空調；夜裡，雖然住在六樓，但只要樓下夜歸車輛按防盜器「嗶！」一聲，或是電動鐵捲門啓用等一般人可能不以爲意的聲響，都會讓她倏忽自寐中驚醒，甚至因此整夜難眠。

除了睡得不好，巨大的工作量與壓力，也讓她食慾大降，由於每天從早到晚的會議不斷，爲節省時間，多數以便當裹腹。但習慣清淡食物的她，一看到油膩、口味重的餐盒便皺起眉頭，沒多久，她就開始「吃」不消，「一看到便當胃就鎖了起來」，幾乎筷子也沒動幾下就難再下嚥，因此，幕僚只好想盡辦法爲她變化花樣，「什麼都好，就是不要吃便當」。

雖然吃得不多，但龍應台卻抱怨，這個工作讓她變成一個「肥胖的女人」，因爲整天坐著開會，沒時間運動，體重變重、體力變差，因此她曾動過每天騎腳踏車上下班的念頭，但在主、客觀因素限制下終究未能如願；後來，她又跟秘書相約下班後去市府附近的健身房跑步，不過，也只實行過一、兩次，後來也就不了了之。

讓她內心感到更加困頓的是，她全然失去知識份子的批判時局、提出諍言的「權利」，對於社會現況、政治人物言行，她看在眼底，心中有其定見，但爲了避免招惹無謂的爭端以「顧全大局」，因此她變得謹言愼行，不隨意對文化事務以外的事件發言，「野火」只在心裡燃燒不再外放，對她而言，或許也有著一番掙扎與無奈。

在文化局成立滿周年時她曾描述，這一年來就如學生在學游泳，雖然一開始完全沒有經驗，卻一下子被丟到深水的池子裡載浮載沉，在掙扎和嗆了幾口水之後，跌撞而行。不僅如此，好不容易抬起頭，才發現居然是在一場游泳比賽中，不但要活著還要游第一，她就這樣連爬帶滾地游了一年。

現在過了三年，她已學會了各式泳式，但新的問題是，「第一年了解狀況，第二年發現問題，第三年開始整頓，但起了頭還沒來及做已經要卸任，新的人一來又要從頭開始，一切打回原形。」這也是讓龍應台在留與不留間兩難之處。

失聲金絲雀

知識份子永遠是批判體制的，我必須考慮自己如何加入體制，而加入後是否會失去客觀、犀利的批判，這是讓我當初躊躇多時的考量。

——龍應台

這是龍應台在一九九九年八月初接受媒體訪問時，她談到決定出任文化局長的心路歷程，面對外界難免有的「知識份子被體制收編」的批判，龍應台其實很是在意。

當時，馬英九夜訪龍應台，在馬英九告別時兩人曾有一段發人深省的對話，龍應台在其《百年思索》裡是這麼描述的：「你把她找來，是因爲她有獨立的精神；如果她一進入官僚體係就失去了這份精神，也就抵銷了你找她來的意義，你同意嗎？」「如果她失去了獨立的精神，那麼她輸了，我也輸了。」

這三年來，龍應台屢遭顚簸，幾次讓人以爲她就要撐不下去，但沒有一次她眞正把「掖在口袋的辭呈」提出來。她曾說，任何的打擊、攻訐不會讓她退縮，早年她批評時政，接過無數的恐嚇信、黑函甚至冥紙，她仍然不改其志，發揮高人一等的韌性，眞正會讓她「待不下去」，只會在兩種情況下成立：於私是孩子；於公，是當她失去了「獨立的精神」，也就是她毫不遲疑轉身離開的時候。

的確，在馬英九的大力支持、高度認同下，龍應台可以大開大闔，幾乎沒有過干預或成了市長的「御用機構」，她不只一次在公開場合說「感謝一個具有文化視野、寬容大度的市長，我才能放手揮灑」。但是，身爲市府團隊底下的政務官，龍應台難道能夠完全保持自我，不爲馬英九的政策辯護或爲其助力？當市府決策與個人理念判斷相左，即使對權力高度警覺的龍應台，也不免有所妥協，或許分析、批判的精神還在，但她選擇用薄紗蓋起，掩蔽若干眞實的想法與話語。

龍應台向來對馬英九廢公娼、取締搖頭吧，這種「法西斯」式、以強勢主流價值壓迫弱勢及次文化的政策無法認同，但她說，身爲政務官，這種事必須「關起門來表達自己的意見」，善盡幕僚的職責，但身爲市府團隊的一份子，一旦政策拍板，她必須遵守市府決策。不過，她自承，這三年來，並沒有出現什麼大的爭端眞正違反她的核心價值，得讓她選擇離開。

中山橋拆遷案

就像中山橋拆遷案就是龍應台明顯妥協的案例。

中山橋原名「明治橋」，昭和五年元月（一九三〇年）開始建造，是當時通往圓山台灣神社的「神橋」，昭和八年三月完工，採當時先進的鋼筋混凝土固定拱結構，橋身百米長，寬幅十七公尺，其中車道十公尺，兩側還各留三公尺半的人行步道便於民眾「朝聖」，兩邊扶手還有花崗岩的石雕宮燈等裝飾，造型典雅，尤其三環拱狀的橋墩和基隆河相映成趣，早年一直是圓山有名的勝景。不過，不論是美麗的橋欄與典雅的燈柱早已隨著時空徒成追憶，往日勝景早已闕如。

中山橋拆除改建之論早在一九七三年間就有過討論，行政院在一九九〇年核定市府「基隆河至成美橋段河道整治計畫」時就註明，中山橋改建應盡速規畫並納入本計畫辦理。一九九四年六月間，前市長黃大洲任內，市府工務局完成中山橋改建作業，準備拆除中山橋另建中山二橋，不過，當時正逢尼日總統訪華下榻圓山飯店，又接近七月大學聯考，在交通單位的力阻下，拆除案臨時喊停。

當年年底，黃大洲市長選舉落敗，入主市府的陳水扁態度一百八十度轉彎，由拆除變成原地保留。一九九八年，馬英九競選所提出市政白皮書內主張拆除中山橋，但他上任後態度又轉趨保守。但由於去年九月，台北遭逢納莉風災後，水利界主張拆除中山橋、紓解水患的聲浪愈炙，馬英九的競選承諾再度面臨檢驗，因此他也在今年一月初時宣布將在月底做出最後的定奪。

文化界則是一片疾呼保留聲浪，當時，龍應台曾偕同多位古蹟學者會勘中山橋並且觀看水工模型，她明白表示，工程單位並未完全說服古蹟委員「拆橋」與「解決水患」屬因果關係。

當橫越基隆河兩端的中山橋陷入保存與拆除兩端拔河的角力中，同樣的，龍應台也陷入了兩難，究竟是站立文化保存的一端疾呼「槍下留人」，還是呼應馬英九的競選承諾站上拆除改建中山橋的支點，正考驗著龍應台：是要當煤礦坑裡發出拔尖高亢嗓音的金絲雀，還是文化不離政治思維的「馬」前卒。

其實，馬英九決定拆橋的心意早定，因此，當時龍應台與專家們會勘時，古蹟委員台大歷史系教授黃富三便悻然地脫口而出一句：「現在才找學者來看，根本是要找人來背書！」專業儼然變成了「政策除罪化」的最佳擋箭牌，不甘成爲「人肉盾牌」的學者們，面對大限將來之前的匆促上陣自有微辭。

而面對古蹟界的反彈，龍、馬兩人也曾私下拜會黃富三等委員，希望尋求他們的諒解與支持，因此，讓不少委員對於後來市府邀集水利專家、工務單位等所舉行的中山橋處理會議相當反彈，直指「既然都已經決定，應該就叫中山橋『善後』會議吧！」黃富三直率地說，他對龍、馬兩人實在相當失望。

不過，對於中山橋事件，龍應台解釋，其實在廿一位古蹟委員中有兩極的意見，一派認爲中山橋根本拆了算了，另一邊則是疾呼保留，她是委員會的主席，更須保持中立，而且，古蹟委員個個都是在專業領域中享有高度聲望者，如果她有任何操控委員會的意志，那麼，這個委員會「肯定就完了」。

龍表示，後來市府由副市長歐晉德擔任召集人組成「台北市中山橋遷建專案小組」，她特別將「保橋派」的古蹟委員黃富三及李乾朗列入推薦名單，成了小組中的一員，希望能夠不僅由水利、工程單位主導整個遷建計畫。

龍應台不只一次提到，這是她兩年來從事文化資產工作最痛苦的一回。當文化本位與團隊政策產生拉鋸，或許龍應台應該跳脫政治思維，就像金絲雀發出嘹亮卻刺耳的聲響，至少讓人可以確知清亮空氣存在而心安。

芝山岩的大榕樹

此外，龍應台任內最驕傲的，就是樹木保護自治條例能及時通過。樹保法在議會幾乎躺了兩年，在此之前她曾多次私下拜託議員，最後終於趕在今年選舉前的議會中通過。因爲很多時候，在樹保法通過之前，她反而只能坐視老樹遭到無情對待，芝山岩石頭公廟上的榕樹就是一個可笑又無奈的「犧牲品」。

行經雨聲街許多人都對石頭公廟旁的大榕樹印象深刻，因爲道路環山而行到此微微窄縮彎曲，目的就在「禮讓」這株八十多歲的老榕樹得以枝葉伸展。樹旁的石頭公廟，以祭祀山腳下宛若石獅的巨石而聞名，地方上有「五鬼弄金獅」的傳聞，謂當年先民在此求財後，風調雨順、五穀豐收，因此建廟奉祀。

石頭公廟上有數株大葉雀榕盤繞，樹冠遮天，每到夏季都是計程車運匠小憩納涼的好所在，農曆八月十五日的酬神廟會更是熱鬧，是當地相當受青睞的參觀景點。

二〇〇二年五月底時，其中一株大葉雀榕的葉片大量掉落，變成光禿禿的「垂死」景象，經過當地的熱心民眾發現向文化局陳情後，文化局請來樹醫楊甘陵前去「診斷」，確定該樹因爲施用農藥過量導致樹體快速枯死，但老樹一息尚存，樹醫建議可以切除生病及枯死的枝幹，全身除蟲並改良土壤後，讓八十多歲的老樹慢慢康復。

由於這株老樹枝幹繁密，必須調用大型機具才能修剪，文化局原定要在八月初安排樹醫指導修剪醫治，不料卻在不久後，傳出大樹已遭人攔腰截肢的消息。

家住附近、長期關心當地生態與社區規畫的淡江建築系老師劉欣蓉氣憤地說，在事件發生不久前她發現石頭公廟方雇請工人在鋸樹，雖然廟方強調是剪掉枯死的樹枝，但現場看到的許多樹幹上仍有油綠綠的樹芽，因此就有民眾私底下揣測是廟方有意擴建寺廟，因此希望移除大樹以增加廟地。劉欣蓉對於廟方的作爲感到不以爲然，因爲長期以來寺廟與大樹一直處於共生的狀態，沒想到廟方等不及醫治就急著砍樹，動機可議，而且老樹並非廟的私產，怎麼恣意爲之？

劉欣蓉曾多次向文化局反應，但文化局態度並不夠積極。也許是因廟方與議會高層熟識，而議會高層掌握法案審查順序的大權，因此對於高層的「關切」，龍應台似乎也失去昔日的高分貝。

松山菸廠孵巨蛋一案

對於「松山菸廠巨蛋案」，則是文化界對於龍應台有所疑義之處。

建於一九三七年占地近十九公頃的松山菸廠，位於城市心臟地帶的廠區綠蔭蓊鬱、花木扶疏，還有一座宛如世外桃源的荷花池，有「台北後花園」美譽，也是台灣第一個現代化的製菸工廠，在公賣局在七〇年間遷出後，就沒再使用。由於其上產權問題遲遲未解，因此再利用案延宕多年，在前市長陳水扁時代曾有意規畫做爲「巨蛋」場址，但由於部分產權握在省政府手上，最後仍功敗垂成。

馬英九上台後，爲了兌現競選支票「孵巨蛋」，重新尋覓場址，最後在關渡平原與松山菸廠兩屬意地點中，後者仍以多項優勢條件勝出，不過，松菸產權已由省府移轉至國有財產局。

龍應台的退讓就是出現巨蛋決定下在松菸時，她說，除非用科學的數據讓她相信，「松菸是最後一個最經濟、便利的選擇，我才接受」。因爲關渡平原牽涉到數百億的土地徵收費，「那恐怕台北五十年後才蓋得起巨蛋」，選擇中的南港重畫地則是交通因素也非理想地點。而且，她心底明白，巨蛋是馬英九當初的競選承諾，如果馬英九想連任，這張支票絕對是關鍵性的一票。

就在馬市府開始著手進行「台北文化體育園區」專案規畫案時，一九九九年端午節這天，甫上任正爲尋覓文建會辦公場地傷腦筋的主委陳郁秀走訪松菸，這座美麗的「都市之肺」讓她驚豔不已，有意遷入成爲文建會的新家。

消息一出，北市府錯愕不已，明明巨蛋規畫已送達行政院，爲什麼傳出另作他用的消息，行政院則表示「沒有看到」，再次引發中央與地方一陣喧嚷。行政院與北市府間對於松菸的再利用計畫多所扞格，雙方各自隔空喊話，連前市府時代的都發局長、現任經建會副主委張景森都跳出來批北市府。

龍應台則直指陳郁秀明知北市府已正在規畫菸廠爲文化體育園區，卻在此時前往視察並且表示有意將辦公室遷進來實在「相當奇怪」，而且「未事先打招呼」、「未遵守基本禮貌」，暗指中央有意阻撓北市府的既定計畫，認爲「松菸應開放供全民共享，而不是關起門來做辦公室使用」。這些言詞傳到陳郁秀耳裡當然相當不悅，陳郁秀並要求龍應台收回不適當的話。

陳郁秀的想法是，松菸豐富的生態體系及極具歷史意義的建築，如興建巨蛋，可能都蕩然無存。因此，她以文化主管單位的立場去了解一下該區做文化園區的可能性有多高？她認爲，這塊台北後花園的土地，未來如何使用至今未定案，她藉由訪視先去了解，也期望開放這塊場所讓人民來體驗，再以開放的形式讓大家再來定奪未來的用途。她表示，就個人的觀點，期望松菸的生態環境及具歷史感的房舍都能保留，以提供表演團隊、展演團隊之用。

站在古蹟保存與都市發展的立場上，龍應台的角色不免備受考驗，不論是何種規模、型式的巨蛋，其上的建築勢將有所損毀，這是不爭的事實。當時中央、地方在「松菸是否蓋巨蛋」爭議中，樂山文教基金會執行長丘如華曾與超過三十位文化界人士連署並寫陳情書給龍應台，要求文化局要站在文化資產保存的立場將松菸指定爲古蹟，但文化局方面並未有進一步的動作。

龍應台說，這個案子在古蹟委員會中也曾有過激辯，雖然馬英九很早就喊出「巨蛋落在松菸」的政策，但其實他內心對於古蹟委員會是否通過這項決議並沒有十足的把握。委員會要討論的就只有“Yes or No”的問題，決定巨蛋要不要下在松菸，如果答案是肯定的，後續的規模、型式則是由教育局、都發局等單位日後將規畫案送到古蹟審查會再做定奪。

時隔近一年，去年五月間，文化局召開古蹟審查委員會，會中決定將廠區主要建築物

「辦公廳」、「製菸工廠」、「一至五號倉庫」、「鍋爐房」指定爲古蹟主體，爭議十餘年的松菸拍板定案爲台北市第九十九處的古蹟。由於古蹟保存區的確切範圍，牽動到將來周邊的土地使用與開發方式，也涉及市府教育局及發展局等職務機關的權責，爭議仍多，因此委員會議並沒有畫定界限，一方面呼應「古蹟」與「巨蛋」並存的政策，等於也給巨蛋設計留下彈性空間。

二〇〇二年三月間，行政院終於批准了市府的巨蛋規畫案，在北市府呈報給行政院的計畫中，是將整個松菸興建爲「文化體育園區」，但由於市府財政緊縮，因此只計畫取其中六公頃興建巨蛋。不過，行政院則認爲，在市府其中的一個規畫案是要將古蹟做爲巨蛋入口，因此政府要求市府必須全部取得十八點二公頃。但市府若有財務困難，行政院同意可以用「換地」方式，取得松菸全部的土地。

因此，北市最後決定將信義計畫區A二一土地，約一千多坪市價一百多億元「以地換地」。此外，北市還有其他土地可和中央交換，不足的部分則採用有償撥用方式取得。

文化局則是表示，未來規畫興建時，文化局會請古蹟學者專家對「巨蛋」帶來的人潮對古蹟可能產生的衝擊，以及將來古蹟的經營、管理提出專業意見。

在松菸巨蛋案上，文化局的角色的確讓部分文化界人士失望，龍應台自認並非是保守的古蹟主義者，雖然古蹟具有很高的道德正當性，但不能無限上綱地延伸，而且古蹟不是死的，她並沒有「把門關上」。一方面，她認爲，體育是文化的一部分，在歐洲及大陸都是將體育納入文化部門中，因此將古蹟與體育對立是可笑的事，以她在國外居住多年的生活經驗，她深刻感到台灣全民體育的落後，台北的確需要一個可以舉辦大型運動競技、國際書展的室內空間。

至於文化界憂心將巨蛋的出入口就設在古蹟，對於建築本身恐怕是負面效益，但龍應台的看法恰恰相反，她贊成建築學者漢寶德所言，如此一來反而可以讓古蹟活化運用，而不是巨蛋與古蹟是毫不相關、單獨存在的兩件事。

只是，消息傳到文化界仍引發震撼，對於歷經兩年力保的松菸將蓋巨蛋感到相當驚訝，丘如華就質疑，松菸是台北市碩果僅存的「都市之肺」，區內的舊廠房又經過古蹟指定，是否其中廣袤珍貴的林木恐將不保，如何兼顧松菸的古蹟保存和綠地，難度非常高，她不表樂觀。

龍應台的高聲望很大一部分的沃土是來自於台灣知識界對她的高度期待，與一般「學者從政」不一樣的是，在某個層次上，她扮演的是「台灣的良心」，在國際發聲也面對台灣讀者。

美籍巴勒斯坦裔文化評論者薩伊德在其《知識份子論》一書中曾定義高標準的知識份子。薩伊德在書中觀察知識份子與體制及世俗權勢的關係時，悲觀的認爲「現今組織收編知識份子的情況已到『異乎尋常』的程度，知識份子的主要責任就是從這些壓力中尋求相當的獨立」，因此，他將知識份子刻畫成「流亡者和邊緣人、業餘者、對權勢說眞話的人」，薩伊德是如此悲觀以對，因此龍應台在文人與官場間角色扮演所面臨的困境亦由此可見。

第三章

在龍應台身上，可以鮮明感受到來自東西匯流、古今衝擊後所刻畫的紋理脈絡。她是一個在南部長大的小孩，在台灣念的是外文系、旅居國外，在青少年、壯年時一直都是浸淫在歐美文學與環境中。直到步入中年四十歲以後，她開始回頭尋找自身的傳統血緣，展開內心世界巨大的「文藝復興運動」。

龍應台讀史、埋首經典古籍，她曾自承，她最欣賞的作家就是「韓非子」，她的文章裡數次引用韓非子〈五蠹篇〉裡的篇章，例如〈五蠹篇〉裡提到：「夫古之讓天子者，是去監門之養，而離臣虜之勞也，故傳天下而不足多。今之縣令者，一日身死，子孫累世絜駕，故人重之。是以人之於讓也，輕辭古之天子，難去今之縣令者，薄厚之實異也。」，韓非子在兩千多年前早就提出，堯舜禪位不是因為道德、文化或是民族性，只是因為實際利益，經濟問題，體制結構，造成今天完全不一樣的行為。

也就是讀了韓非子的文章後，讓龍應台自己啞然失笑，「我在想，算了，兩千年之後你還在寫一樣的東西，而且自以為見解獨到。你，太可笑了，太不懂自己的位置了。」

她也讀屈原，想著他在兩千多年前站在綠色的迷宮裡，仰望滿天星斗，脫口而出的〈天問〉：「天何所沓，十二焉分，日月安屬，列星安陳；何闔而晦，何開而明，角宿未旦，曜靈安藏」。而莊子、韓愈的文章時常可以在她後期的著作中發現蹤跡或若隱若現的牽引。

龍應台曾以「沙漠玫瑰的開放」來形容史學的意涵。她提到，一位從以色列歸來的朋友送給她一朵沙漠玫瑰，說是玫瑰，其實只是一種地衣，拿在手裡是一蓬乾草，外形極不起眼，但朋友告訴她，把它整個放在水裡，第八天就會完全復活，於是她將這一團枯乾的草用一大玻璃碗盛著。

她每日每日地觀察，發現它一天天的變化，漸漸地，到了第八天，呈現在她眼前的是完整、豐潤飽滿、一朵復活的沙漠玫瑰，她禁不住與孩子瘋狂大叫出聲，一旁恰好在場的鄰居則是奇怪地說，這一把雜草，你們幹嘛呀？這一問，倒讓她愣住了，「是啊，在他的眼中，它不是玫瑰，它是地衣啊！」從沙漠玫瑰的盛放中，她悟到了：

「他看的是現實本身定在那一個時刻，是孤立的，而我們所看到的是現象和現象背後一點一滴的線索，輾轉曲折、千絲萬縷的來歷。於是，這個東西在我們的價值判斷裡，它的美是驚天動地的，它的復活過程就是宇宙洪荒初始的驚駭演出。我們能對它欣賞，只有一個原因：我們知道它的起點在那裡。知不知道這個起點，就形成我們和鄰居之間價值判斷的南轅北轍。」因此，對歷史的重視構成龍應台思考及寫作的軸心。

龍應台看待自己從《野火集》走到《百年思索》，當中分爲三個歷程：寫「野火時」

是一個「憤怒的寫作者」，只看到孤立的現象，在一個自己看起來非常醜陋、黑暗的時代，心情是少年的、憤怒是少年的，激情是天眞的；一九八六年後，她到了瑞士，開始寫《人在歐洲》，從卅歲至四十歲，她幾乎把對台灣的責任感，轉化成純粹以一個觀察者的角度去看，並以台灣作爲參考座標去看待世界。

這是龍應台向民衆徵求到的《野火集》第一版第一刷的孤本，她興味十足地看著始終緣慳一面的著作。

一九九二年，也就是她四十歲那年，當時的世界猶處於一九八九年時風起雲湧、巨大翻騰的餘波中。六四之前龍應台正在北京，親身感受北京街頭風起雲湧的學生運動的種種情狀，歷史的鏡頭層層疊疊，直推至五四；緊接著，十一月柏林圍牆倒塌，就發生在她仰息生活的國度中。

隨之而來整個蘇聯帝國的瓦解，就在帝國走入歷史的前一年，她還曾是第一位踏上蘇聯訪問的台灣女記者，應蘇聯政府之邀赴莫斯科訪問十天。從一九八八年至一九九二年，在這世紀跨越的關鍵年代，她深刻感覺到自己成爲一個歷史的目擊者，不論是在東方或西方，這樣的歷程對她產生革命性、深沉的觸動。

龍應台發現，過去她在寫《野火集》時，當時她看到簡單的表面，包括爭自由、人權等，雖然她得到許多結論與啓發，但當她拿到一九八九年以後的歐洲，整個世界環境的變化，一經比較，她發覺自己沒有足夠的歷史縱深，來理解在她眼前發生的種種歷史事件。

於是，她感到了自己知識的不足，促使她以四十歲作爲分水嶺，發現了歷史也進入第三階段，憤怒不再，取而代之的是強烈的求知欲，留意現象背後的來龍去脈，她的興趣不再是直接的批判，而是將歷史的視野帶進社會的觀察，讓她從更大的座標裡頭，從橫向與縱向去看待人、事、物。

大稻埕教會的歷史

龍應台進入歷史的世界，對她產生巨大的影響，當然也體現在她施政的軌道上。讓人記憶最深也是最近的一樁，就是發生在她任內最後一年因古蹟指定所爆發的「大稻埕教會」事件，可以說是她對待歷史的最佳寫照。

位於台北市甘州街上全名爲「大稻埕基督長老教會禮拜堂」是一九一五年由李春生出資規畫。李春生是何許人也？很多人疑惑，爲何龍應台如此重視他所留下的文物，甚至不顧教會強大反彈一心想將教會指定古蹟，這與她「強調歷史」有著密不可分的關聯，卻也因此直接、間接導致最後以令人錯愕的悲劇收場。

的確，在大稻埕風光的一頁裡，李春生並不是最知名的人物，但對歷史有極深觀照的龍應台，深究台灣近代史後得到的結論是：李春生是台灣三、四百年歷史上，一位重要知識份子，要說台灣本土出色、有學問的思想家，恐怕非他莫屬。從他與林維源、辜顯榮並列爲清末台北三大家族，可窺其地位；他不僅是影響大稻埕開埠歷史的士紳，對於台灣現代化扮演有舉足輕重的關鍵角色，更是學貫中西的思想家。

李春生出生於一八三八年，集基督教會長老、洋行買辦、中國傳統儒學研究等多重身分，二十八歲從故鄉廈門來台北，初期協助英商洋行，後來自營茶業而致富，與林維源並列台灣首富。李春生除了商業的經營成就外，也在宗教、哲學思想啓蒙方面極爲活躍，尤其在日本殖民統治下，李春生透過宣傳基督教理來延續中國文化和台灣社會，也從基督教信仰批判西方思潮。

十九世紀，嚴復翻譯英國學者赫胥黎所著的《天演論》爲中國帶來巨大的思想翻騰，李春生則在一九〇七年爲文嚴加駁斥《天演論》，並批評達爾文等的進化論，與當時中國的知識分子梁啓超、康有爲、胡適等熱情擁抱進化論的西方科學思想，形成明顯對比。龍應台認爲，李春生出身「買辦」，卻是最早接觸外來文化，最具國際觀的人。李春生曾遊歷日本多時，卻不用民族主義或殖民心態逢迎日本政府，反而是從基督教的世界觀與核心思想，評論近代的中國及日本，不論在當時或現代都是相當特異的持論，立場完全迴異於反中或反日的民族主義者。

很早就對李春生相當有興趣的龍應台，二〇〇一年夏天，龍應台拜訪海基會董事長辜振甫夫人辜嚴倬雲女士，辜嚴女士曾向她提到當年辜家（辜顯榮）、林家（林維源）、李家三大家族合力開發大稻埕的相關事蹟，讓龍應台對這段超過一世紀前的大稻埕開發史，喚起熱情。

隨後就在當地大有里里長陳祖儒的導引下，龍應台驚喜發現當年李春生於八十多年前一手創建的「大稻埕基督長老教會禮拜堂」仍屹立在甘州街，一旁還留有李春生後代子孫所建的三層樓寓所，保有當年胼手胝足開發大稻埕的氣息，讓龍應台看了頗覺振奮，也興起進一步擬出具體保存方案的念頭。

龍應台於是興致勃勃開始籌畫相關活動，希望喚起一般市民對李春生的重視，例如邀集學者辦理相關座談會，並在「古蹟月」活動由民俗專家帶著市民在大稻埕重蹈李春生足跡，一一走訪大稻埕教會、李春生紀念教堂、李春生故居、後人所建的李宅等。

當中還發生一段「插曲」，當龍應台高度推崇李春生的消息見報以後，李敖還曾在當時主持的節目「李敖大哥大」表達他的不以爲然，李敖認爲，李春生的歷史定位與同時代開城門迎接日軍進台的辜顯榮一樣是受到質疑，龍應台對他的百般推崇似乎得打上問號。

不過，龍應台不爲所動，因爲她所重視的是李春生與台灣近代史的深刻影響，以及他特殊又豐富的歷史角色，對於李敖的批評她則是以一笑置之。另一方面，龍應台開始與教會人士接觸，教會代表牧師羅仁貴及李春生後代應邀前往市府訪拜龍應台，當時教會代表就明白告訴她，改建教堂是教會與會眾廿多年來共同的心願，教會被指定成古蹟並非他們所期待。不過，雖然雙方的談話沒有太多的交集，但尚能維持表面和諧，只是隨著文化局古蹟指定機制的逐步啓動，終於使得雙方關係逐漸由弛轉張。

來不及挽回的古蹟

二〇〇二年四月，龍應台偕同漢寶德、李乾朗、黃富三、南方朔等古蹟委員，再次走訪大稻埕教會及一旁的李宅，評估其是否具有列入第一百處市定古蹟的價值。不過，由於教會及家屬對市府舉動採強硬的態度拒不開門，因此眾人不得其門而入，只能在教會外圍觀察建築物。

當天與會的委員一致認爲教會具有指定古蹟價值。不過，就在眾人在教會對街討論時，一位李春生第六代孫的李昌平突然現身表達強烈反彈，抨擊市府一意孤行，雙方不歡而散。

時隔一個月，就傳出教堂前方的石階及後面的屋瓦、牆垣遭到部分拆除的消息，龍應台聞訊趕往制止，教會隨即遭到建管處勒令停工，文化局請求轄區員警二十四小時巡邏。先行抵達現場的文化局副局長李斌一度激動地問教會人員：「你們前兩天不是才說過一定不會拆嗎？」

經過兩個小時的冗長溝通，教會代表李肅然長老與龍應台達成初步共識，身爲教會重建委員會主任委員的李長老強調，教會是採合議制，因禮拜堂和三層樓寓所過於老舊，決定重建，他必須尊重其他成員的意見，隨後教會也舉行緊急會議商討教會後續的處理事宜。龍應台則強調，她不會放棄與教會協調；禮拜堂的古蹟指定流程也繼續進行，不因這次事件中止。

不久，文化局邀請教會人士與學者專家舉辦公聽會，沒想到，龍應台一開口，底下就有人高喊：「講台語啦！」當時她腦中轟然一聲，似乎又碰上族群地雷。

一開始，羅仁貴即連番提問，文化局指定古蹟的標準何在？他說，古蹟專案小組會勘時，教會大門深鎖，爲何委員沒看室內就可評定教堂合乎古蹟標準，且教會已經過改建，爲何還能列入古蹟？而教會目前建物老舊，樑柱蟲蛀、外牆傾斜，有次聚會因爲漏水，教友們還在室內撐傘，有安全之虞。他指出，目前教會空間嚴重不足，沒有停車場，嚴重影響教會發展，他希望文化局重視信仰文化的傳承，而不是只有建物外觀的保存而已。

教會代表董事也表示，一九九八年教會和台北市民政局、發展局討論如何改建時，北市府都認為教會是歷史建築，何以到了文化局就變成古蹟？教友們對於文化局的指定程序和認定標準，都有相當大的爭議與反彈，更認為文化局不應該以公權力將教會私有財產指定為古蹟。

其間，有教會執事質疑專家出席是否領錢，暗指他們有意為古蹟指定背書，引發中研院學者李明輝與發言者的激辯，場地秩序一度失控，甚至有教友多次欲扯下龍應台的麥克風，她不得不疾呼，這是台北人文化素養的表達，要尊重不同立場人的意見，古蹟指定不是死路一條。

與會的教友們幾乎一面倒的支持拆除重建，他們強調，教會建築只有李春生後代以及教友才有資格決定，並以霧峰林家古蹟修復無望、九二一地震許多建築損毀為例，對於李春生教堂是否有資格列入古蹟不以為然。

這場劍拔弩張的公聽會無異點燃五天後教會遭到無預警拆除的引信，就在五月廿五日深夜一點多，教會無預警雇請怪手「破門而入」，怪手三兩下的破擊，大稻埕教會高聳巍峨的紅磚立面盡成煙塵，滿地散落的紅磚碎片猶如四溢奔濺的鮮血。接到消息匆匆趕赴現場的龍應台，看到這幅觸目驚心的景象既難過又憤怒。

當時，她繞過怪手走入會眾聚會時的禮拜堂，牆傾樓斜景象令她遙想一九一五年創立這間教會的思想家李春生濟助貧困、跨洋取經出資出力地興築這間教會，對映而今人為蓄

為大稻埕教會遭到無預警拆除，龍應台曾一度傷心落淚。
（攝影／程思迪）（轉載自《聯合報》）

意爲之的破敗景象，看著看著，眼前的景物變得模糊，她深喟了一口氣，獨自一人坐在漆黑的瓦礫堆中，面對眼前不見五指的黑暗。

原本教會「鷹派」人士欲藉此打消龍應台執意保存禮拜堂的念頭，不過這對不服輸、反抗暴力、凡事以理訴之的龍應台恰好是適得其反，反而更加堅定她的理念。兩天後，古蹟審查委員會通過，建議將禮拜堂爲台北市第一百處古蹟，定名爲「台灣基督長老教會大稻埕教會」。委員依據文資法八個認定要項，包括歷史文化藝術價值、時代遠近、重要歷史事件、表達時代技術特色、周圍環境，皆肯定大稻埕禮拜堂都符合古蹟指定條件。

由於教會立面受到毀損撞擊，但委員認爲，立面雖受損，不減其建築之價值，且其修復之技術不成問題，文化局也將保留磚瓦等建築元素，以應他日復原之需，以期早日恢復古蹟光彩。龍應台強調，文化局不會放棄與教會溝通，且工務、民政等局處將參與協調的工作，未來的修復計畫雖是條漫漫長路但將堅持走下去。從此，大稻埕教會不僅受到文物資產保護法的保障，未來業主須負起修復之責，預料將是巨大考驗。

教會方面雖然態度不若之前抗拒，但教會執事柯智信強調，教堂是私人財產，爲何要由文化局決定保存與否，他們認爲這根本已經違憲，因此準備打憲法官司，以維護憲法所保障的人民自由及私有財產之行使權益。

於是，教會向內政部訴願會提出行政訴訟，在九月間經判決訴願駁回，訴願審查委員會認爲無論是古蹟指定程序，以及指定古蹟實體，都符合文資法的相關規定，事實明確。

十月廿二日，文化局舉行古蹟審查會，會中通過文化局大稻埕教會專案小組與教會所委任建築師所達成的共識，將現在牆傾樑斜已呈危樓的禮拜堂拆除，並將先前五月間怪手破壞後所保留下來的建築元素，在現址甘州街的基地上將建築線前移至界線，一方面讓古蹟得以原貌重現，另一方面，禮拜堂前挪之後，多出的空間也可讓教會的重建計畫得以實現。教會執事柯智信表示，這項提案長老在合議會議中「勉予接受」，也稱得上是雙贏的局面，並爲這項餘波盪漾許久的大稻埕教會事件畫下暫時休止符。

從大稻埕教會事件發展到最後的景況一路看下來，姑且不論龍應台的作法是如教會所不滿的「蠻橫」或是她自己認爲的「溫柔的堅持」，龍應台重視歷史又帶點過度理想化的文人氣在這樁公案中具展無遺。她這樣的性格經常是一刀兩刃，若不是如此看重歷史軌跡的她，「李春生」三個字及其意義可能只留存在少數研究台灣近代史學者的論文著作中，她一方面讓人重新認識李春生，也喚起了社會對這件事的重視及同情。

相對地，龍應台的高調推崇、一心保留卻也激起教會前所未有的反彈聲浪，她對自己認定的標準充滿自信，卻忽略了她不喜歡的現象背後牽連的因果循環。正因如此，教會的會眾更是認爲她挾輿論的令箭與優勢，讓他們似乎被當成了「暴民」，她的堅持己見、毫不妥協更是讓教會不滿，勢將阻礙教會已擘畫多時的改建案，最後導致一場玉石俱焚的悲劇。或許只能說龍應台的性格注定了她將永遠身負兩極評價，不論她的身分是官員還是作家。

錢穆、林語堂紀念館

龍應台重史的性格從她著力甚深、二〇〇二年三月重新開放的錢穆、林語堂紀念館可見一般。

一九九九年十一月八日，文化局成立後的第一個上班日，龍應台與馬英九一同前往分別位於東吳大學與陽明山仰德大道上，當時只是市立圖書館轄下小分館的國學大師錢穆與幽默大師林語堂的故居。

當時，龍應台向馬英九大力爭取，她認爲以其兩位大師在國際與歷史上的重要性，應該將故居發揚光大爲國際間研究兩人學說與著作的研究中心，馬英九當場即同意將錢、林兩館自教育局移撥至文化局，初步確定林館以「文學」、錢館以「史哲」的方向。

對於錢、林兩館，龍應台曾在接受新加坡雜誌《中華天地》專訪時自承，「我是有心讓這兩棵被這社會『雷擊』的老樹，重新開出花朵來」，因爲錢、林兩人在台灣是「被橡皮擦擦掉的人」。林語堂被忘掉是因爲他大部份的文學寫作是在美國，這廿年來台灣走本土化，相對就把以前國際的部分放在後面；而錢穆會被忘記，因爲他代表大中國文化，再加上晚年那一段不堪的遭遇。

「之所以把這兩棟房子恢復過來，其實是有文化思維在裡頭」，龍應台當時在訪談中提到，台灣以本土化掛帥的潮流是有必要的，因爲一個長期被壓抑的民族，前五十年被日本人壓抑，後五十年被大陸的中心主義壓抑，一定會有一段抒發自己、尋找自己的過程。但她認爲，文化不是看十年、廿年，而是要以百年作爲最小的單位，文化最後還是要回到一個根本精神，就是泱泱大度、百川不拒的大河概念。

在龍應台的眼中，林語堂代表的是中西文化的融合，他有點像華語文化的大史，對西方世界介紹華語文化的內在性格，所以他在歷史上的地位是不容否認的。至於錢穆，如果現在再回頭去看他所寫的書，會讓人發覺新的時代意義。因此，龍應台幾乎是從初上任就開始著手錢、林兩館的轉型，及重開大門的計畫。

雖然錢、林故居相距不遠，錢、林兩家生前往來頻繁、交誼不淺，兩家人對於故居重新開放的心情卻是大不相同，這背後還蘊藏著一樁無解的歷史公案。

基本上，林家對於故居重新定位與開放，都抱著歡喜與期待的心情，林語堂——次女旅居國外的林太乙女士，幾次龍應台與書信往返，相當關心故居未來的經營方向，態度積極且熱切。但錢穆位於東吳大學內的素書樓卻背負著沉重歷史包袱，因爲有一段不堪回首的過往。

重開素書樓

一九六七年，錢穆應當時總統蔣介石之邀，以歸國學人的身分自港回台，即定居在外雙溪素書樓，屋裡內外均是由他與夫人一手規畫設計的，一磚一石、一草一木都是兩人多年的心血。

素書樓不僅是錢穆在台居住最久的寓所，也是他晚年講學的場所，他生平育才無數，在其素雅格局的住所內刻畫國學大師一生嚴謹求真的治學精神。一九九〇年間，當時的台北市議員周伯倫指稱時任總統府資政的錢穆占用市府土地；後來時任立委的陳水扁也以書面質詢方式強烈要求政府收回。

以「士大夫」自居的錢穆雖高齡九十六、目盲體衰，堅決而倉促地搬出素書樓。六月一日搬離，八月三十日即辭世，據錢穆遺孀胡美琦表示，直到錢穆辭世前，仍對此事耿耿於懷。自稱是「錢穆未及入門的弟子」的龍應台對錢穆相當敬仰，還是「作家龍應台」時，她就曾在其《百年思索》、《未完成的革命》等書中數次引用錢穆著作，三年前她從德國返台接任文化局長時，隨身帶著一本錢穆先生的作品《國史大綱》，因此這樁歷史公案對她而言更是感懷萬千。

龍應台上任後也開始與胡美琦女士接觸，由於胡女士因當年事件傷痛未癒，對於官方單位相當排斥，更遑論是「加害者」台北市政府。剛開始胡女士不願與龍應台見面，經過幾次的剴切表達，胡女士才暫且放下心防，與文化局就錢穆故居的重新開放，交換意見。對於錢穆故居，帶著知識份子情懷的龍應台有著相當深切的感受。

錢穆故居於2002年3月重新開放，錢穆夫人錢胡美琦（左）接受台北市文化局長龍應台的獻花和擁抱，稍解12年來深藏心中的委屈。
（攝影／林錫銘）（轉載自《聯合報》）

二〇〇二年三月廿九日

這天，歷經多時的修繕與風波，錢穆故居重開大門，席間，馬英九特別向胡美琦女士深深一鞠躬，表達官方的道歉，外界認爲這是象徵台北市政府爲錢穆「平反」，還其清白與氣節。

不過，龍應台卻認爲用「平反」二字來論斷太過膚淺，如此豈不是以今日之是論昨日之是，對於素書樓產權的釐清是黑白分明的事，調出相關資料即可一目了然，不能將此事與意識形態混爲一談。她也從文化的觀點看待素書樓的重新面世說，在文化的長河裡，溫柔、寬厚與深沉即是文化的本質，不因任何政黨輪替、因時因地而有差別，更沒有昨日是或今日非的問題，「最後就是要回歸到，文化不能被任何政治粗暴對待。」

當時龍應台還曾在《聯合報》上發表一篇名爲〈錢穆故居開放：歷史的諷刺，難以迴避！〉一文去檢視錢穆事件的峰迴路轉，她帶著抑鬱地表示：

「這算什麼呢？人活著的時候，以最粗暴的方式對待，人死後，再去紀念他、尊崇他。這樣的例子，當然歷史上很多，但是在自己的時代、自己的社會中發生，仍然令人覺得不堪。歷史的諷刺，難以迴避。」

龍應台冷峻清明地反省著：「今天我們在草坡上致歉、獻花、植樹、洗刷錢先生的汙名、發願光大錢先生的文化理念，並不能擦掉已經發生過的歷史：這個城市曾經把一個象徵文化傳承的大儒掃地出門，冷眼看他在目盲體衰、老弱受辱的處境中倉皇辭世。」

同時，龍應台也從素書樓的沿革中，印證了錢穆最擔心的歷史現象：「表面上的『貴族封建』，可能在背後卻有結實的理性運作，而表面上的『自由民主』卻可能隱藏著文化的粗暴與權力的專斷。對歷史蔑視的政客在進行『革新』時，毀滅的力道可能特別強大。也就是說，我們的民主政治可能比從前專制體制更缺少文化的溫柔與深沈，這是多麼令人鬱結不安的印證。」

此時此刻，過去那目光犀利、運筆如劍的作家龍應台，似乎又回來了。

現代杜子春

……吾子之心，喜怒哀懼惡欲皆忘矣，所未臻者愛而已。向使子無噫聲，吾之藥成，子亦上仙矣。嗟乎，仙才之難得也！吾藥可重煉，而子之身猶爲世界所容矣，勉之哉。

——杜子春

這是唐人傳奇中耳熟能詳的「杜子春」，爲了求仙煉丹，杜子春忍受著一切煎熬不出聲，盡管表面上把七情六慾都壓抑住了，但內心的掙扎和苦痛，終於在愛子被摔死那一剎那驚呼一聲、奔瀉而出，杜子春終究無法泯滅「母子」情而成仙夢碎。龍應台曾以杜子春的故事來自喻心境，而她如果最後選擇離開現在的「煉丹爐」，她和杜子春的反應會是一樣，因爲母性極強的她終究捨不下母子親情。

一直以來，無論是作家或是局長的角色，龍應台都給人充滿理性與敏銳觀察力的印記，文筆洗練犀利、作風果斷堅定，她曾形容自己是「工作起來全身都是大腦的人」。但如果看過《孩子，你慢慢來》這本書，更多人驚訝於龍應台的溫柔與細膩，以及她爲母的豐美、滿足，就像張曉風曾經在序中形容龍應台的話：「燒一把野火的是龍應台，乖乖守著萬年以來巖穴中那堆灶火，爲孩子烤肉講故事的也是龍應台。」

與龍應台當時猶豫是否回台出任公職有很大牽繫的，就是她對那時分別才十四歲與十歲的兩個兒子——「安安」與「飛飛」的不捨，後來還是早熟又有主見的安安投下贊成票，鼓勵她回台，孩子的諒解與支持多少起了些關鍵作用。不過，讓她比較放心不下的就是還很黏媽媽的老么，但一向以哥哥馬首是瞻的飛飛，也似懂非懂地接受了媽媽「外放」的事實。

當時龍應台打的如意算盤是，等到她在台灣的生活穩定上了軌道，她再設法說服丈夫，把兩個孩子「騙」到台北來念歐洲學校，這樣她可以就近照顧小孩，不再孤單地一人在台北生活。不過，很快的，龍應台就發現理想與現實有極大的差距，一來她每天工作超過十五個小時，根本沒有任何的餘力去照顧兩個孩子；再者，從小在歐洲長大的安安與飛飛，根本不能適應台北的生活，不僅對噪音的忍受度很低，連上街過馬路也不會，滿街飆來奔去的交通工具讓他們害怕極了。

另一方面，安安已經十四歲是個有獨立思想、個人判斷力的青少年，所以龍應台必須徵得他的同意。只是，正值青春期的他掙脫父母的羽翼都來不及，怎麼願意離開同儕與熟悉的環境到台北讀書；至於，弟弟雖然對母親的依戀較深，但他更不願離開哥哥，而龍應台的丈夫也捨不得孩子離開德國。因此三年來，龍應台與她的小孩只能每天透過電話及平均一季往返的「千里省親」，聊藉思子之情。親情的割離是龍應台心中最大的痛，也是她的「罩門」與禁忌，親近她的人都知道，只要在她面前提到孩子，不出三分鐘她就會淚如雨下。

不一樣的女性主義

我愛極了做母親，只要把孩子的頭放在我的胸口，就能讓我覺得幸福。可是我也是個需要極大的內在空間的個人，像一匹野狼，不能沒有牠空曠的野地和清冷的月光。

——龍應台

這是龍應台在書中曾自承的心境，在做了母親之後，讓她對於男女平權有「大吃一驚」發現，過去她在《美麗的權利》一書中所談到男女平權的問題，都是站在一個獨立的女性個體，並沒有考慮到母親與小孩所扮演的角色，當她進入母親的世界後，受到極大的考驗，進一步觸及兩性最複雜的困難處。

例如，女性可以具體跟男性要求分攤家務責任，但有了孩子之後，就不能用百分之五十來「議價」，因爲當妳在爭取公平的同時，有個最脆弱的小生命，毫無防禦能力的小動物在那裡，並且會因此受到損害。讓她為難的是：當面對一個如此不合理的社會結構，女性到底是要去爭那百分之五十的平等，而傷害脆弱的小動物；還是為了小生命而必須接受種種的妥協？

她認為自己和檯面上的女性主義最大的差別是：她如此享受作母親的角色，而且這種享受完全是原始人或動物性中美好且持久的感情，這樣一個洪荒初始、驚天動地的經驗，讓她不但改變過往完全活在自己世界中的自戀情結，當了母親之後，在她眼中從五十歲到八十歲的老先生都只是孩子而已，「養小孩的經過就是一個進入歷史的經過。」

不過，如此沉醉在母親角色的她，這三年來，完全失去了「母親」與「個人」，只剩下一個「局長」的身分，「我只要想著自己在台北工作的每一分鐘，就是孩子孤獨成長的每一分鐘，便會開始對自己的抉擇感到痛苦。」

「建國花市」的鄉愁

龍應台曾說，如果要說台北最能勾起她「鄉愁」的地方就是「建國花市」。有著一雙「綠色眼睛」與「綠手指」的她，在德國的家中滿是她自己親手栽植的花草樹木，安安與飛飛在她的耳濡目染下，同樣也喜歡綠色植物，從小圍繞在她的腳邊跟著媽媽一起蒔草植花。

在台北，只要假日難得有空時，龍應台就會隻身前往建國花市買些植栽，感受花香綠意。但到了那裡她的心情反而更加沉重，「當我看到野菊花，就會想起『啊，這是我跟飛飛一起在庭院裡種過的花』，當我再看到別的植物，又會想起我跟孩子在那裡一起種過，逛著逛著視線就會愈來愈模糊……」往往她總是高興輕鬆地去，卻是帶著滿腹的惆悵與泫然欲泣「逃」離花市。

「萬里探母」的安安與飛飛

與其說孩子黏母親，不如說，龍應台是一個很黏小孩的媽媽。那時，龍應台回台沒多久，台灣就發生九二一地震，消息傳回德國，鄰居紛紛趕來慰問，一輩子沒經驗過地震的兩個德國孩子，不久就特地飛來探親，讓當時正爲文化局籌備事務忙得昏頭轉向的她，快樂了好一陣子，身爲「職業媽媽」的龍應台，因爲分身乏術，當時還把兩個小朋友帶到辦公室一起上班，兩兄弟一起等媽媽下班，幸好兩人在堆滿公文和響個不停的鈴聲中還能玩得自得其樂，不時追逐嬉戲。

由於德國一年四季都有不同名目的長假，大概每三、四個月，大孩子安安會帶著小朋友飛飛一同「萬里探母」，漸漸的，哥哥的生活圈愈來愈往外伸展，於是變成飛飛單飛獨自來台，安安的獨立與羽翼漸豐也讓龍應台不免有些失落。

龍應台與兩個小孩的互動在旁人看來相當新鮮，母子三人（或兩人）對話時，可以聽到龍應台一口字正腔圓、漂亮的國語，安安與飛飛則是以有稜有角、發音濃重的德語回答，偶爾穿插幾句帶點捲著舌發音的北京腔國語，他們之間的對話外人永遠只能聽到龍應台的「片面之詞」。

龍應台說，從孩子出世以後，她一直只用中文跟孩子交談，不夾雜任何外語，孩子跟爸爸則是以德文，她跟丈夫則是英語對話。只是隨著孩子的愈來愈大，懂的德文語彙愈來愈多，再加上接觸的環境多以德語或瑞士語，漸漸地變成孩子日常的德文能力超越了她，但中文卻「不進則退」，最後就變成她說中文、小孩用德文回答的模式。有時，中文的語彙孩子無法理解，龍應台便用德文再翻譯一次，不然就是安安、飛飛不希望讓別人聽到的「母子秘密」，於是便會用德文交談。

安安與飛飛都是屬於相當沉靜且內斂的小孩，或許是因爲到了陌生的環境，他們的話不多。外形是十足「洋娃娃」的兩人都有一雙慧黠、敏銳的眼神，個性中承襲了母親的善感與細膩。

有次採訪結束後，龍應台帶著十歲的飛飛與幾個相熟的記者聚餐，在一一介紹後，飛飛突然用著疑惑的眼神，貼在媽媽的耳朵旁邊咕噥了一陣子，龍應台先是一愣隨後便大笑起來，「哇，你怎麼會想到這裡，媽媽真的太小看你了！」一旁的飛飛則是漲紅了臉用德文直要媽媽「別說」。

拗不過記者的追問，龍應台這才翻譯飛飛的困惑。原來飛飛狐疑的是，既然是不同報社的記者彼此間應該是屬於競爭關係，爲什麼大家看起來感情都挺好的；還有，身爲官員的媽媽，跟記者應該是監督者與被監督者的關係，爲什麼彼此間又像是好朋友般談笑風生？一個十歲的孩子能夠提出這麼具有邏輯性又深奧的問題，讓在場的大人包括龍應台在內都不敢置信，這樣的問題成年人都不一定想得到，更何況是個小學四年級的小朋友。

龍應台說，她一直認爲從小就是安安的跟屁蟲「四肢發達頭腦簡單」的飛飛，沒想到，卻是出乎她意料外的聰慧。不過，對於大人們激動的反應，飛飛顯然「平靜」許多，當龍應台問到他怎麼會想到這麼「高難度」的問題，他只淡淡地說，沒有啊，學校都有教，言下之意似乎覺得大人們實在有點「大驚小怪」。

不過，再怎麼樣的聰明、沉穩，飛飛畢竟只是個十來歲的孩子，龍應台說，飛飛對於她的離開剛開始有些不能接受，行爲出現一些「內縮」與任性，比如東西找不到、早上爬不起床，「以前我在家時，他不會這樣的」，飛飛的反常的舉止讓她很是心疼。

然而，漸漸的，孩子愈來愈能夠適應媽媽不在身邊的日子，有時打電話回家，電話那頭的飛飛會急急地丟下一句：「媽，快講！妳只有一分鐘，我要去踢足球了！」甚至，第二年有次回德探親，她帶著滿懷的愧疚告訴孩子：「媽媽只剩一年就回來陪你們了。」沒想到，安安卻是一付「難過」的模樣回了她一句：「啊，我自由的日子只剩一年啦！」令她又好氣又好笑。

每一回，送兩個（有時一個）孩子搭機離台，龍應台總是會哭著離開機場，有一次，剛好遇到為友人送機的新聞處長金溥聰，龍應台一看到熟人就哭倒在他懷中，讓他不知所措連忙問她：「怎麼了，發生什麼事了？」

龍應台與孩子牽繫之深，可以從她剛上任幾次為了回德團聚不惜干冒大不韙向議會告假看出來，甚至為了一度無法參與安安的成年禮在議場上落淚，她曾說，任何工作上的打擊都不會讓她示弱、退縮，唯一能讓她落淚的只有孩子。更因為對孩子的重視，她願意在三天內來回台灣與德國間，即使在法蘭克福只停留六小時，也要堅持回德參與安安的成年禮。

午夜憂鬱症

龍應台曾經形容她自己剛回台灣的大半年，得了一種叫做「午夜憂鬱症」的病，除了工作上的困頓，很大的一個因素是因為思子情切。因為過去的十三年，每晚她都會與兩個孩子促膝談天、說完床邊故事才捻燈入睡。現在不僅她和孩子難得見面，也常因台灣比德國早上七小時的時差關係，要不她趁著難得午休時間打電話回家，電話那頭還是睡意正酣的喃喃童音，否則就是孩子放學回家打電話過來，她不是還在辦公室加班否則就是早已體力不支、倒頭大睡。

「我一直覺得我跟孩子童年相處的時光有被硬生生切斷、嘎然而止的感覺。」龍應台說，在德國時她最喜歡和孩子一起在廚房烤蛋糕，她走的是「正統派」，孩子們則各自發揮創意「實驗」，做出各種形狀及口味特異的蛋糕，滿屋子的蛋糕香氣與笑語歡聲，是她與孩子最甜美的記憶，「唉，這些都已經是很久以前的事了。」

十七歲的安安在二〇〇二年暑假前往美國，展開爲期一年交換學生的生活，雖然龍應台心中不捨，但早熟的安安向來讓她放心。反而是飛飛，在還是黏膩著媽媽的年歲就與她分隔萬里，實在令她心疼。曾有友人安慰她：「沒關係，他在年紀比較小時就離開媽媽的羽翼，反而能夠早一點獨立。」沒想到，不說還好，一聽到這句話，龍應台的眼淚就像水龍頭哇啦哇啦地直掉，連忙要身邊的人：「哇！別再說了，愈聽愈難過。」

母性堅強的龍應台很喜歡小孩，她就曾在書中提到，在當了母親之後，她突然覺得人性是極容易判斷的：「世界上只有兩種人，好人和壞人；喜歡孩子都是好人，不喜歡孩子的都是壞人」，她不只痛恨台灣社會層出不窮的「虐童案」，甚至會難過得掉下淚，對於年紀與安安、飛飛相仿的孩子她也會有不自覺的「移情作用」。

有一回，文化局補助台北縣徐匯中學一群國中生將製作網頁翻譯成英文的經費，果然不負重望地參與國際競賽得了大獎，師生們特別前往市府向龍應台致謝，其中一個國一小男生個頭小小、皮膚黝黑，相當靦腆卻又很討人喜歡，龍應台特別摟了他的肩膀問他「幾歲啦？」「十三歲。」孩子怯怯地回答，當時滿臉笑容的龍應台心突然揪了一下，內心有說不出的傷感，「我當時第一個想到：啊，跟我的飛飛一樣大呢！」

三年來，一直處在「個人」與「母親」兩個角色間撕裂與拉鋸的龍應台，親情公務難兩全多次讓她在公開或私下場合潸然而泣，甚至不只一次對外表示「辭呈隨時掖在口袋」。不過，兩者間看似衝突的身分，爲人母的歷練卻意外成爲她能夠在一片外界不看好中「撐下來」的因素。

龍應台說，每當「午夜憂鬱症」漫天襲捲而來，在一陣的失聲痛哭稍稍平復後，她開始整理自己的情緒，突然發現這種很感覺「很熟悉」——在德國生活也會有的孤獨，以及身爲家庭主婦必須的徹底自我毀滅，隨時擱下寫作與自我去滿足幼子無限度的需索等。她轉念一想，文化局不就像她另一個不懂疼惜、不考慮母親處境的孩子？就是這種「爲母則強」母獸的韌性讓她能夠拭乾眼淚後，再去面對排山倒海的業務與挫折。

不過，讓龍應台欣慰的是，如今已是翩翩少年的兩個孩子的溫潤氣質與母子間的深情，印證她過去十三年全然的付出與灌溉並沒有白費。至於，今年才滿三歲的「台北孩子」何時也能讓她擁有驕傲與貼心，「沒想過，因爲生養孩子本來就是不求回饋的。」

雖然這場歷時三年的「馬拉松」龍應台終究跑到了終點，一次又一次的跌倒、障礙都沒有阻止她繼續往前的步伐，但龍應台說「我還是那個沒有修成正果的杜子春，否則我就應該留下來再做滿四年。」除了個人體力與寫作，孩子依舊是她最深的牽動與愧欠。

「蒲公英年年都有，孩子那樣幼小卻只有一次」，也就是這樣的感懷讓龍應台無法再等四年，因為孩子的成長不會等她。

原罪

如果明天就公投台灣前途，我一定會投下贊成「獨立」票，可是我不能認同台灣與大陸間的文化血脈也要按著疆域畫界，從此一刀兩斷。

——龍應台

族群問題一直是台灣社會中最敏感的一條神經，即使到了現在政黨輪替之後，省籍背後所引發的統獨爭議迄今還是舊傷甫癒的痂口，隨時可能因稍稍碰撞而撕裂。雖然龍應台是在南部鄉下長大、求學，自認是「南部小孩」，但父親來自「湖南衡山」的註記，及她的作品中對於傳統文化、中國現況的關懷，因爲經常被冠上「統派作家」的帽子。

這種「原罪」的背景讓龍應台在三年任內多次備受質疑，認爲她是個「大中國主義」者，因爲是原罪，所以她幾乎毫無抵抗能力。她不能理解的是，過去她的寫作一直是在扶植民進黨、批判國民黨，沒想到，解嚴以後一直到現在她進入體制，她又變成民進黨「討伐」的對象，令她感到挫折與無奈。

「原罪」風波

因她的「原罪」所引發的風波「代表作」大概非「台北二二八紀念館」續約事件莫屬。

一九九七年二月廿八日，二二八事件五十周年紀念日當天啓幕的台北二二八紀念館，由市府民政局委託台灣和平基金會經營。台和會的組成成員是以二二八受難者家屬及四七會精英爲主，當時就是爲了配合二二八紀念館而成立，成爲市府公辦民營的開路先鋒。

當時雙方簽定的合約是三年，合約上載明台和會「契約期滿前，受託者如有意續約，得於契約期屆滿三個月檢附評估報告、績效說明等提出申請，經複審查委員會審議通過後，受託有『優先議約權利』」。不過，原本認爲順理成章的一件事，卻在市府易主及採購法實施後產生變數，導致後來延續經年的紛擾風波。

一九九九年元旦政府採購法上路，同年十一月六日，文化局成立，二二八館業務也移撥至文化局底下，很快的，甫上任的龍應台立即就會面對二二八紀念館三年契約期即將到的問題。同月廿四日，台和會將厚達四十多頁的委託經營計畫書送達文化局，爭取繼續經營紀念館。不過，文化局則是事隔一個半月、二〇〇〇年一月七日才邀請專家學者召開委託經營績效審查會。

中間會拖延四十多天才舉行審查會，很重要的一個因素在於當初的合約簽訂是在政府採購法實施以前，龍應台認爲「優先議約權」有適法性的問題，她也希望能夠建立公開評鑑機制，好讓台北已有或將陸續成立的十多所文博館所委託的經營制度化。

由於基金會遞出續約合約書後，文化局遲遲未有進一步回應，造成受難家屬恐慌，紛紛透過各種管道打探、陳情，表達希望基金會能夠繼續經營的心聲，家屬的質疑與揣測四起，認爲現在市府是「外省人當家」，可能情勢大不如前。

在一月七日審查會中，文化局邀請戴國煇、廖桂英、張玉山、黃富三、張譽騰等五位專家學者就實地勘察結果提出書面意見及對制度面的建議，並未進行評比。根據當時館長葉博文口述的《龍應台．馬英九．二二八》一書中提到：「當天傍晚，張譽騰教授打電話到館內告訴文物組主任林絮霏說：『大家都很肯定你們經營的成果。你們有優先議約權，打個電話跟你們道賀。』」得知消息的紀念館成員及當時不在館中的葉博文都相當高興。

不過，當葉博文看到隔天媒體刊載：龍應台表示「以建立公開評鑑制度」與「符合政府採購法」爲由，再「決定是否優先和基金會續約」，消息一出引發基金會的強烈不滿。葉博文認爲，如果龍應台對合約的優先議約權的合法性有疑義，又何必大費周章地舉行昨天的績效審查會，爲何不直接回文告訴基金會，而是透過媒體隔空喊話，文化局根本是有意拖延續約，至此，葉博文的不滿終於爆發，雙方間的齟齬正式浮上檯面。

一直極欲得知評鑑結果的葉博文於在一月十二日發函給文化局，請「盡速函知評分及評審結果，以爲本基金會後續計畫及行事之依據」。文化局則是在廿五日將會議紀錄發到與會學者及基金會。十八日，龍應台在辦公室約見葉博文，她告訴他文化局決定先與基金會續約展期十個月，也就是到二〇〇〇年底，之後就經營績效再行決定續約與否。此舉讓葉博文更加憤懣，認爲十個月根據無法規畫、經營，文化局只是要基金會當「墊底」。

於是兩天後，基金會立刻召開臨時董事會決議退出紀念館經營，並發表一篇措辭強烈的「經營紀念館是責任，不是權利」的聲明，表達對文化局的不滿，此舉無異引發紀念館在二二八後立即面臨開天窗的窘境。

而在龍應台與葉博文當天單獨會面中，也牽涉出至今依舊是場羅生門的一段對話。根據葉博文轉述，當天他進入局長辦公室，龍便對他說：「館長，你們要如何『慶祝』二二八？」葉博文不悅地糾正她：「龍局長，是『紀念』二二八，不是慶祝二二八。」「喔，是，是紀念二二八」。

這段對話從葉博文口中傳出後，《英文台北時報》執行副總編輯朱立熙於是在廿四日《自由時報》「鏗鏘集」猛烈抨擊龍應台的文化優越感與文化無知，《英文台北時報》並以社論要求龍應台應爲此辭職下台。消息一出，立刻引發嘩然，不僅文化局接獲不少抗議電話，就連市長室也打電話來關切，在傷口上灑鹽，挑動台灣最深沉、痛楚的神經非同小可。

但龍應台堅決否認她曾經說出如此粗糙、不尊重歷史的話，隔天，她投書《自由時報》澄清，她是問葉博文如何「紀念」二二八，但葉博文則強調可爲這段對話「百分百負責」。至今，龍應台究竟有沒有說出「慶祝」二字，依舊各說各話，答案只有龍、葉兩位當事者心知肚明，仍是懸案一樁。

在此同時，二二八受難家屬也分爲兩派，一派是由原基金會董事長廖德政胞弟廖德雄所組成的台北二二八協會，另一派就是台灣和平基金會，前者與市府較多接觸，立場傾向支持市府，當然也因此惹來基金會批評市府「分化」受難家屬，最後，受難家屬間還引發「茶壺內的風暴」。基金會舉行臨時董事會，改選董事名單同時也撤銷董事長廖德政資格，選出詩人李敏勇爲新任董事長，不過，事後得知的廖德政則說，當天他確實到場，但因身體不適簽到後就離開，根本不知道後來臨時出現「改選董事長」的議程，因此這項改任董事長的決議是不符程序的，兩位各自宣稱合法產生的董事長一度鬧出外人霧裡看花的雙胞案外案。後來，基金會的主管機關教育局則發函「不予核備」，否定董事會程序的合法性。

由於在法院公證的基金會董事長明載是「廖德政」，但基金會發函到文化局的董事長署名則是「李敏勇」，導致文化局無法核發每月的預算，產生作業上諸多困擾，甚至連龍應台都跳下協調，希望能夠再開一次董事會化解雙方的歧見，盡快讓董事長雙胞案落幕。

後來，在多方斡旋下，一月廿八日，由廖德政代表基金會與文化局簽定代管紀念館三個月的合約，展期至五月底。隨後，文化局也在三月底上網公告招標，經營期兩年六個月，由於台灣和平基金會董事會的資格問題仍未解決，因此也喪失參與投標的資格。不過，一直到四月廿四日公告日截止前，都無人投標，只好辦理第二次公告作業，並且在五月間由台灣區域發展研究院得標。不過，龍應台與葉博文間的糾葛並未因此而告一段落。

不平靜的「二二八」

從民政局主管時代，市府就對定期對委外單位進行查帳、清點文物等工作，後來，文化局發現基金會在門票收入、外界捐款、義賣所得等明訂須另開帳戶「專款專用」的項目上有所疑義，因此在五月底基金會結束經營紀念館時持續進行查帳工作，當然又引發基金會的不滿，認爲文化局秋後算帳。後來，文化局遂控告基金會須「交付帳冊」，雙方走上訴訟一途。

雙方的爭訟尚不止於此。半世紀前曾來台工作的紐西蘭籍工程師謝克頓，留下許多關於二二八事件的文稿與資料，並寫成《福爾摩莎的呼喚》一書，他的兒子卡林偕同妻子特別在二〇〇〇年二月二十八日前夕特地來台，將照片及史料捐給紀念館，由館長葉博文代表接受。後來，這批文物在未隨著基金會退出經營而留下來，因此文化局也提起民事訴訟，要求基金會「返還所有物」，這件案子在二〇〇二年四月一審宣判，文化局勝訴，法官判定葉博文需將所有史料交還予文化局。

其實，在這個案件宣判前的一個多月，也就是二〇〇二年二二八紀念日前兩天，葉博文就具狀前往台北地方法院，控告龍應台涉嫌妨害名譽與侵害人格權，並提起兩百廿八萬元的民事訴訟賠償，並要求龍應台應在各大平面媒體頭版刊登半版的道歉啓事。不過，龍應台則對此回應表示，是否每到二二八紀念日就一定要有「政治鬥爭」，她希望能有個乾淨的二二八事件省思。

除了「舊帳」未了，其實接手二二八紀念館經營由前東海校長梅可望領軍的台灣區域發展研究院，其實也引發外界的疑義。一方面是因台發院創辦者的外省色彩進駐具有高度族群意義的二二八紀念館，難免讓家屬、社會有些意見，再加上台發院的董事名單赫然出現「楊天生、伍澤元、曾正仁」等社會爭議人物，龍應台雖然事後表示，沒有人會去看董事會成員的身分背景，因爲主要是要針對投標單位所提出的營運計畫書及口頭報告爲評分標準，但她私下還是坦言：「我看了其實是倒抽一口冷氣」。

但是龍應台認爲，政治不應帶入專業考量中，新團隊具有規畫七個展示館的經驗，她希望社會能給新團隊半年時間站穩腳步，之後再嚴厲地檢驗，「只要是合法的團隊，就只能兩隻眼睛盯著看」。

不過，新團隊進駐二二八館兩年半來，經營績效究竟爲何似乎還看不到什麼亮眼的成績，倒是內部雜音不斷，許多開館就參與的義工都站在同情葉博文、台灣和平基金會的立場，認爲市府逼人太甚，癥結點似乎又回到族群問題。家屬與義工們認爲，二二八館已經不是紀念「二二八」，變成市府宣揚大中國思想的工具，例如二〇〇二年首度由官方市府出面在二二八紀念館舉行的大陸六四及七七抗戰特展，就讓裡外都有疵議，認為龍應台個人的意識形態有意讓二二八館變成統派的基地。

「如果我是本省人，這些爭議應該就會不出現了吧！」面對二二八館從她上任以來至今猶暗潮洶湧的風波，龍應台只能無奈以對。「其實檢驗的標準很簡單，只要比較我從前與現在批判的基點是不是有所矛盾就能知道。」龍應台說，早在一九八六年當時還是黨禁、報禁，二二八歷史傷痕仍被掩蓋、鎖為禁忌的年代，她就曾發表一篇〈打開二二八的黑盒子〉文章，公開呼籲政府組成特別委員會進行調查，對於黨外民主運動的更是多次為文支持。

深究這些做法的背後緣由很吻合龍應台看待歷史的態度，她看的不只是這段一九四七年發生在台灣的事件，她的心中有一座歷史的座標：她會橫剖面去比較同一年代的世界史，及往上往下縱切事件的前因後果。龍應台的想法是，她在八月十五日日本宣布投降日舉行台籍日兵口述歷史，也紀念六四、七七，就是希望提高二二八事件在歷史的境界，而非只有窄化成外省人與本省人的衝突，而是以更開放、宏觀的心胸去觀察一九四七年世界史上類似的人權壓迫事件，都在二二八紀念館中呈現，將它提升至「人權紀念館」的層次。

龍應台說，她知道在台灣政治氛圍下，她是得冒著被指控統派大帽子的風險，但還是要做。面對外界疑慮的眼光，只是受限於她的工作戰線拉得太長，她根本沒有時間與體力去處理；再者，台灣嚴重缺乏理性討論與評論平台，因此她寧願選擇保持低調面對，但她認爲，她禁得起歷史的檢驗。

台北市議員魏憶龍質詢時，質疑教育局長與文化局長是否愛台灣與本土文化，教育局長李錫津立刻表演一段，引得文化局長龍應台當場笑哈哈。（攝影/林建榮）（轉載自《聯合報》）

龍應台向來對自己所執持的標準充滿自信，而她看待歷史的角度是許多台灣現在高舉本土大纛者所無法認同的，再加上她無法選擇的「外省人」血緣，及她與大陸知識份子交好、寫作時不時流露出對中國傳統的情懷，種種因素讓她得穿上族群的「小鞋」。

歷史不是只有「政治史」

對於這種外界的眼光，她還曾直言她很瞧不起意識型態掛帥、非常窄化的本土運動，因爲都是短線操作，她認爲自己比本土派還要徹底，只是台灣現在的本土派只用來台灣前後順序分割，她看的是四百年台灣史，不管外省、本省、原住民，只要是在歷史上有過關鍵重要角色，不論功過、忠奸，通通都在歷史的脈絡中。

例如在她任內指定爲古蹟的蔣宋故居，很多人說，因爲她的外省人，所以她去維護象徵蔣氏王朝的建築，但她則是站在蔣宋兩人在台灣近代史中占有的篇幅與影響去評估，而不論世人評價爲何，又如何應欽故居，在故居拍賣後，她跑去告訴開發商，希望他們能夠在拆除以後立碑，告訴後人這一段歷史，那怕五行字也好。

龍應台說，她一直認爲中國人和台灣人都太重視政治史，她的工作就是把一些被掩蓋的弱勢再擦光拭淨，當她去把錢、林兩館故居恢復，有人會說：「因爲妳是外省人，」當她去改造青草巷，又有人會說：「妳是爲了平衡」。難怪她會感慨，如果她是本土派所定義的「本省人」，或許她做這些事都有了正當性。

除了外省背景外，講得一口漂亮字正腔圓國語的她，幾年前回台坐計程車時被司機一口認定「妳肯定是大陸來的！」聽得懂但廿多年沒機會開口講過的閩南語，同樣也讓她吃了一些苦頭，例如，當時文化局與大稻埕教會因指定古蹟而鬧得不可開交，文化局舉行古蹟公聽會，邀來學者專家、教會代表及會衆，身爲主持人的她上台一開口，底下馬上就有人大喊：「講台語啦！」逼得她不得不已有些結巴的閩南語發言，當下，她才驚覺到這個案子的複雜與棘手處，還隱隱然包含了族群問題。

龍應台一直懷抱著，文化是泱泱大河，必須百川不拒才能成其大的想法，因此當然就會坐實「大中國意識」的椅子，她也曾說，中國不等於中共，中國人民也不等於中共，對於中國文化她的確有著喜愛，但對於中共政權的本質，她看得比誰都清楚，更沒有任何美好的想像。

龍應台曾經在其一篇〈魏京生訪台的反思〉文章就很明白提到她對本土化等於「去中國化」質疑：

> 用「中國」這個詞有一萬個迫不得已。誰說蔣家政權代表中國？誰說毛澤東的共產黨代表中國？兩個歷史不滿百的政治黨派——通常由一小撮權力野心家控制，就代表了一個綿延三千年的人類古文明？所謂對「中國」反感，是對中國的「什麼」若是對

2000年為了中秋樂宴的演出，龍應台曾與馬英九相偕學歌仔戲。

中國這個具體的國家反感——是對它的國家機器，還是對它一併夾在機器裡頭旋轉的「人」呢？

不過，族群意識如同瘀血般，一日不化，她的「原罪」便一日無解。尤其，最近她頻頻私下徵詢下任文化局長的人選，友人建議她，如果馬英九連任，文化局長一定找一位本省籍人士出任，別的局處首長的省籍爲何都無妨，但是文化局長就是要來平衡馬英九的外省色彩，就像蔣經國當年找李登輝當副總統的道理一般，「沒辦法，這就是外省人的原罪，也是宿命。」龍應台久久不發一語。

大陸「龍」捲風

這些作品就像不知從何處盜來底火，散發一種非常特殊的光與熱，忽然照亮了許多前衛青年的文學之路。

——《魯迅小說集》，楊澤編

龍應台大概可說大陸知名度與銷售量數一數二的台灣作家，當時她以憤怒精神寫下的《野火集》，後來在高壓統治比台灣解嚴前猶勝一籌的對岸也產生一股狂潮，隨著其熱烈如火、犀利如鋒文字的登陸而馳名北京，進而擴展至整個大陸知識圈，成爲大陸讀者眼中突破禁忌的「異議作家」，因此開啓她與大陸的淵源。

在過去的十多年，龍應台曾多次應邀赴大陸演說與讀者面對面接觸，除了廣爲周知的代表作《野火集》外，她在一九九七年一月七日《上海文匯報》發表如今幾乎已成上海市民「教科書」的〈啊，上海男人〉一文，還有比《野火集》更早的作品《龍應台評小說》一書也成爲北京多所大學中文系指定的課外讀物，龍應台在大陸文壇及影響力之巨著實驚人。

對大陸民主運動的關注

身爲長期觀注世界強權史的作家，她一直相當關注大陸民主運動，六四前夕，她就在北京觀察整個學潮的風起雲湧，她與大陸民運人士也有深厚的互動，不論是早期繫獄十八載的魏京生，或是六四以後服刑六年半後被迫流亡美國的王丹，都是相交甚篤的好友。

二〇〇一年二月，文革後流亡法國的作家高行健將獲得「諾貝爾文學獎」首次的訪問行程獻給台灣，引起高度重視，背後也是因為龍應台的目光精準與兩人的深厚情誼。早在一九八八年，龍應台當時從瑞士搬至德國法蘭克福定居，高行健則是甫離開中國抵法，因戲劇作品《野人》在漢堡演出而來到德國，龍應台前往觀賞，並在演出過後應邀至她家中作客，兩人因此結識。

後來兩人間有聯繫，前年早在高行健獲獎前半年，她就邀高行健來台北市擔任三個月的駐市作家，原因是，高行健是一個打破國家、使命、知識份子的重重綑綁的作家，龍應台邀請他來，既希望他能觀照台灣，也希望台灣豐富的環境能關照這樣一個作家，此舉獲得高行健的爽快允諾。

沒想到，不久後就傳出高行健成為首位華人諾貝爾文學桂冠得主的消息，被全世界媒體爭相追逐的高行健，依舊沒有忘記他與台北的約定，他堅定地告訴龍應台「一定會來」。她除了感謝瑞典這樣一個蕞爾小國推薦了一個值得尊敬的作家，同時也高興自己「撿到寶」，讓他能夠將得獎後出國訪問的首站就來到台灣。

藉著與大陸讀者及文化人的接觸，讓她更加認眞地關心大陸的文化發展、社會現況，與歐洲寫作平行的是她爲大陸讀者的用心。在《百年思索》中她明白地說：「不管台灣怎麼講『政治正確』，怎麼反中共霸權，她只維持一個信念：『人』的價值凌駕一切。在任何政治鬥爭、權力糾纏裡，你，要看見有血有肉有尊嚴的個人。……她不在乎任何帽子，來自或左或右或任何方向的帽子。」因爲這樣的信念，讓她用心持續地讓文章在大陸發表，從歐洲發聲，關切著兩岸三地與世界的局勢。

大陸看龍應台當官

在大陸，龍應台的文字讓人聯想到魯迅，如同楊澤編纂的《魯迅小說集》中所形容：魯迅很早、很輕易地就與西方掛上了鉤，他的小說長久以來被視爲現代中國「感時憂國」文學的發端，其實是從辛亥革命的廢墟裡生長出來的一種充滿了否定性的民

諾貝爾文學獎得主高行健於2001年2月來台訪問，龍應台（右）親自至中正機場迎接老友。

（攝影/陳嘉寧）（轉載自《聯合報》）

族主義文學。

魯迅以隱諱卻又直探傷口的文字發出無數吶喊，一甲子之後在台灣，龍應台讓大陸人憶起魯迅，同樣是放火照亮黑暗大地的角色，大陸讀者對她產生高度期待與仰望，認爲她不光只是作家、知識份子，更是「台灣的良知」。

因此，當一九九九年八月，以月旦時政而聞名的龍應台允諾出任文化局長一職，立即在大陸猶如投下一枚言論炸彈，引爆強烈震撼與高度異議，贊成與反對聲浪相持不下，甚至北京、上海、廣州的讀者爲此展開「南北大辯論」，爭論不休。

大陸知識份子的反應不外乎三種：一是「台灣的民主竟然走到這一步，國民黨政府竟能容許批評國民黨的人進入政府工作，不得了」，這對中國政治是一種啓發和示範；二是認爲「清流進入了濁流」，擔心龍應台是可讓濁流變清？或是也會混濁了，等著看這場「實驗」的結果；另外，有些知識份子認爲這是對整個中國文化官員的示範，期許她好好做。

其中，位於中國政治中樞心臟地帶的北京知識界，受到五四運動一脈相承，熱情懷抱著「知識份子救國論」，傾向贊成她從政改變現狀，就像王丹在一九九九年《明報月刊》十月號所發表的〈政途上的「三秋樹」與「二月花」——龍應台出山與李敖競選〉文章中分析：

> 受中國傳統文化影響的士大夫階層沒有多少個眞正的『隱逸之士』，他們自覺或不自覺地把自己的命運與價值置放在社會與群體的大背景下，力求個人價值與群體福祉的雙重實現，並痛苦地徘徊於其中，這種氣質對他們而言是悲劇，對社會而言則是幸運。

他也認爲，在政治轉型之後，相當一部分知識份子因爲有反對派的身分而具備了一定的社會聲望與政治資源，這使他們可以憑更有利的條件面向社會發言。

的確，龍應台身上帶著相當重的「文人氣」，她曾說過自己是「現代的身體住著五四的靈魂」，在其爲官之前的最後一本著作《百年思索》中，她從晚清張之洞等知識份子力挽時局談起，接著談梁啓超、魯迅、胡適、錢穆等文人對時代的疾呼，她對「筆鋒常帶感情」的梁任公極爲推崇。

梁啓超不僅是出色的文人，他參與戊戌政變，後來以《新民叢報》高舉改革大旗，高喊著「破壞亦破壞，不破壞亦破壞！」猛烈譏評時政，喚起國魂，一切皆源自於「個人的歷史感」，所以他的學生蔡鍔戮力反對袁世凱，使洪憲帝國在八十三天後倉促結束。這種「文人救國」的歷史感對龍應台起了相當大的作用，也讓她從批判者進而成爲實踐者。

不過，相對於北京知識份子的正面肯定，上海及廣州讀者即堅決反對龍應台走到體制

2001年6月，龍應台應邀前往大陸出席「上海台北城市文化比較學術研討會」，這是她出任公職後首次訪問大陸引起高度矚目。

內，並對她批判不已，對於政府機器懷抱悲觀態度的人，認爲她也被體制所「收編」，最後不免走上爲政治服務一途。

大陸刮起「龍」捲風

因著龍應台在大陸的高知名度，也由於大陸讀者對具有「作家」及「官員」雙重身分的人物好奇，二〇〇一年三月初，龍應台原定應前《上海文匯報》之邀於前往上海訪問一周，由於這是龍應台出任公職後首次赴大陸，消息一出後，立即在大陸傳了好幾回，不僅香港、廣州多家媒體紛紛來電詢問詳細行程，甚至有外國媒體表示有意進一步隨行採訪。

不過，後來因爲上海市政府內部組織改組之故，龍應台的上海行延後至六月方成行，不過，同樣在對岸刮起一陣「龍捲風」。長久以來，中共對於具有群衆鼓動力的作家向來採壓抑政策，再加上敏感的官方色彩，龍應台這趟上海行幾乎只能「悶著頭做事」。但儘管如此，在她抵滬的首日就有十多家聞訊而來的媒體，在深夜時分前往她下榻的飯店與她會面，希望搶到她第一手的訪談內容。

此後，從各地湧來的邀訪則是讓她幕僚的電話從早到晚難得安靜，而她也在緊湊的行程中接受了多家報紙及電視的專訪，按照她的說法，「幾乎是上海以外重要的媒體都來了。」香港鳳凰衛視台更是以全程跟拍的方式紀錄她在上海的公開活動。

不過，值得玩味的是，包括廣州發行的《南方周末報》、《深圳商報》、《上海文匯報》、《上海一周》、北京重要報紙《中國青年報》及《香港亞洲周刊》皆「不約而同」地在她抵滬的一周後，方刊出早在第二天即完成的採訪內容，迥異於台灣搶時效的媒體生態，其中所透露的訊息自是不言而喻。

大陸媒體關切的焦點多半集中在「龍應台當官」後的心路歷程，面對大陸媒體單刀直入的提問，龍應台也侃侃而談她的觀察與感受，甚至在媒體問及她作官之後有沒有「走樣」，她語驚四座地就是一句「我

龍應台在大陸擁有廣大讀者，連小朋友都排隊等著索取簽名。

龍應台的著作在大陸盜版猖獗，一位民衆大老遠前來參加她的新書發表會，卻帶了一本盜版書請她簽名，於是她便在上面寫下「這是盜版不要再買」等字。不過卻被人打趣說，這本書作者「真跡」特多，反而更值錢。

是個失敗的政治人物」。她說，出任官職讓她將知識份子的角色完全放棄，她也不諱言，收穫與預期總有落差。

龍應台在大陸多次公開場合及演講中一再提及的「文化政策獨立於政治」、「以市民為核心的施政內容」及「文化權平等」的理念，則一再衝撞長久處於知識剝削、對新觀念求知若渴的大陸社會，在一場對市民演講的題目，她特地選擇以「看不見的城市——上海與台北城市文化比較」為題，暢談從體制外走進體制內的城市觀察經驗，從「空間解嚴」的觀點細數台北許多看不見的場域，她的用意在於「以彼喻此」，在談論台北經驗時也正小心地想畫開一根火柴，點亮大陸讀者眼中、心底尚未「解嚴」的空間。

由於龍應台的官方身分，讓她進出大陸不再若以往來去自如。原本二〇〇二年六月她計畫前往大陸進行「雙京行」，赴南京及北京考察。除了應南京東南大學的百年校慶之邀，發表「百年系列」的演說。意義更重大的是，龍應台還計畫北上，直探大陸政治心臟——北京。

目前北京正在全力籌辦二〇〇八年的「文化奧運」，對於北京市爲了籌備奧運，以雷厲風行的速度及「推土機」的方式，鏟平北京老胡同、建築，令她格外關注與憂心，畢竟「北京不光只是屬於北京市政府，也不只屬於中國，是全人類的北京。」

「六四特展」

但是，就在出發前夕，文化局在二二八紀念館首度由官方出面舉辦「六四特展」，原先爲避免訪陸計畫橫生枝節而迴避出席的她，最後還是選擇露臉，並且還發表一段深刻的感言。

她回憶，六四發生前幾天她人在北京，幾天後，她在東歐的一個小村子裡發現一個以粉筆畫的倒地人形，上面就寫著「天安門事件、一九八九、六、四」，龍應台認爲，六四影響的不只是中國人的命運，更牽動了整個世界局勢。

她進一步提到，這十幾年來世界一直處於價值大翻轉的狀態，每個人都企圖找到一張政治正確的庇護傘躲進去，尤其是在東西德統一後這種「精神錯亂」的現象更是劇烈拉扯，後來一位東德的政治領導人提出了種檢驗的「試劑」：「六四發生時，自己站在那一邊？」藉此找到對應判斷的基準點。她說，在此刻台灣的局勢下，跳出來紀念六四是一件政治相當不正確的事，但「政治人不能失去宏觀的膽識」。

果不其然，她此番的發言惹惱中共，因此就在臨出發前夕硬生生被喊「卡」，龍應台只能無奈接受。

除了對岸政府對其官方身分的戒備之外，台灣政府對大陸的「戒急用忍」政策，也讓她處處縛手束腳，兩方掣肘之下，龍應台豐沛的大陸資源與人脈始終揮灑不開，大陸讀者對她針砭時政的仰望及爲官心得的好奇，或許也得等到她再回歸單純作家身分，才能一償宿願。

第四章

永遠的邊緣人

許多人對於龍應台的寫作風格、觀察事物現象的敏銳眼光與獨到角度感到好奇，曾經有大陸讀者直接了當地問她：「到底是什麼原因讓妳變成這樣一個人？」答案很簡單卻有些抽象，就是她所自我歸納得出的結果：一種「特別強的疏離感」。

這與她從小一路走來的成長背景息息相關，這種強烈的疏離感讓她在寫作時，眼睛常看見一般人視而不見的東西，獨特的思維方式和敏銳的現實觸感，讓她的文字展現特殊魅力，一如在一九九八年第六期雜誌《海峽》對她的描述：「看到蟲繭，她知道裡頭能飛出美麗的蝴蝶；她從地底下往上看世界，她找到了豪華大廈下的陰溝，應用她犀利的筆將陰溝挖得更大，好讓人看得一清二楚。」

因爲「疏離」，造就了她的一雙冷眼。同樣的，在她爲官的歷程上，她也有意無意地選擇一條「從疏離出發」的非主流路線。這麼形容可能有些形而上的模糊，或許先回溯她的成長歷程就能比較明白她的疏離感從何而來、又如何影響她日後的寫作與施政。

一路的「疏離」經驗

龍應台的父母是在一九四九年從大陸來到台灣，也就是一般人熟悉稱呼的「外省人」，一九五二年出生在高雄縣大寮鄉的她，理所當然就成了「外省第二代」。從小在漁村、農村長大的她經常就是小學一班六十人中，唯一的講著標準國語的「外省小孩」，在她幼小的心靈中，當然完全不能理解外省與本省、或者「時代的動盪」、「老百姓的流離失所」是怎麼一回事。

在龍應台的理解中，本省人，就是那五十九個孩子；本省人，就是清明節有墓可掃的人，她曾在《故鄉、異鄉》的散文集中對童年記憶有一番描述與剖白：

……「清明時節雨紛紛，路上行人欲斷魂」，在小學裡我們就念過。在水光瀲影的稻田邊，就是墳場。孩子們幫大人抱著紙錢，提著食籃，氣喘噓噓地走在狹窄的田埂。整個田也都是晃動的、忙碌的人影。他們拔草，掃墓，焚香，祈禱，跪拜，燒紙。一剎時，千百道青煙如絲如縷地橫上天幕。

在墳場外，沿著公墓有一排木麻黃。一個小女孩靠著樹幹，很遙遠地看著煙霧繚繞中的人們，和她的同學。在我的成長過程中，我們是沒有墓可以掃的，因爲所有的家人都在大陸。

由於她的父親是警察，龍應台從小跟著父親四處遷徙，每三年一調的結果就是「屋子裡的人，兩三年就一換；院子裡種子尚未抽苗，人已遠離」，她也成了「永遠的插班生」。從幼時到初中，在最原始與閩南文化疏離的經驗裡，她就是一個邊緣人。即使到了初中，她接觸到同屬外省的眷村子弟，她發現自己也不屬於他們，因為她是一個「不屬於軍人的外省孩子」。而她高中進入台南女中，就連大學也是在台南的成功大學就讀，對於眞正的都市生活一直隔著一層疏離。

直到一九七五年，龍應台負笈前往美國，在美國住了九年的她，在那裡她依舊是旁觀者，更是邊緣人。後來，在短暫回台幾年之後，她又到了歐洲，在瑞士待了兩年後即定居德國十一年，同樣處在西方文化的疏離層中。

即使回到台灣落腳台北，對她而言，還是一層的疏離，因為她從來就沒有在台北眞正生活過，「我有一種都市文化的疏離，如果我是『北一女一路到台大畢業』的主流路線，那麼我今天的思考方式肯定很不一樣。」龍應台說，在台灣她是一個從旁邊觀看的人，在美國、歐洲，甚至到了中國大陸皆然。

這種疏離感和邊緣人的生存成就龍應台寫作的基調，其實也可以說，幾乎所有的藝術創作者，心底或多或少都是內在的流放者，不只是從一個壓迫的制度逃脫而去，更抽象的意義是逃避心靈的物化，追求個人的自由與解放，就如高行健在其《沒有主義》書中所自白的：「文學是一個局外人，逃亡於社會邊緣」的意涵，有著異曲同工的吻合。

流亡更是一種對抗的存在，內心的某個角落有著不平衡、痛苦、撞擊。龍應台認爲，如果一個創作者的意識型態永遠只是在核心裡頭，不會有創作的衝動，所創作的作品沒有藝術的距離，也不會有好的作品，疏離感是任何藝術創作一個必要的條件。

疏離感的另一面

一層又一層所包裹累積的疏離經驗、特質，過去流露在龍應台的筆端，也一路貫穿龍應台三年施政的線軸與核心。她自承，「疏離」讓她變成一個沒有「同」字的人，一直以來她是一個沒有同鄉、同學、同僚的人，離開台灣廿三年，龍應台沒有與任何黨派、團體或個人親近或愛恨情愁，「唯一在我心中的是國際的版圖」，疏離感轉變成正面的作用，「讓我反而可以用獨立、冷靜又抽離的角色去做決策，不受干擾。」

龍應台認爲，長久以來台灣的庶民史被掩蓋在政治的主流史觀中，沒有得到它應有的地位，因此，她心中的另一把尺是「把應該被發掘的弱勢文化擦亮、發光」。所以龍應台去恢復錢穆、林語堂紀念館、改造青草巷、保留圓環的戰備水池，在她的心中沒有「外省本省」、「本土國際」、「男人女人」的差別，她試圖把許多在台灣社會中被「橡皮擦擦去」的歷史再寫回來，「只是我擦亮之後，才會發現『啊，這是外省人』、『這是本土派』，我只知道他們都是被掩蓋的弱勢。」

龍應台說，當她去恢復錢、林兩館、眷村文化調查，外界會貼上「統派」的標籤，當她去保留青草巷、圓環走唱藝人史料，外界又會扣上「妳是為了平衡」的帽子，台灣社會以「本土與國際」、「統與獨」一分為二的價值判斷，「我雖然嘴巴不說，心底是瞧不起且認為極為幼稚的」，這也是龍應台「雖千萬人吾往矣」文人擇善固執的性格強烈之處。

不只於此，更重要的是，疏離感進一步延伸出龍應台對「文化權平等」的追求。「平等」是一種相對的概念，例如台北相對於其他外縣市、弱勢者（老人、青少年、原住民、同性戀）相較於中產階級、甚至是台北市文化資源相對不足的內湖、南港對應資源豐沛的大安、中正區，她希望能夠特別關注到這部分處於核心價值外的人與地。

「台北異鄉人」的心願

龍應台以一個在台灣南部長成的「台北異鄉人」角度出發，台北的強勢政經及文化資源所引致的聚焦效益，一直在她成長的歷程中帶著欽羨與淡淡的自卑，她生平第一次到台北還是在念大一的暑假，當她踏上台北，眼前所及的景觀，令她大開眼界，同時也不得不承認自己眞是個「土包子」。

很多人說，基本上台灣可以分為兩個「世界」，一個是台北市，另一個就是台北市以外的縣市，出了富裕、先進的台北市，常常讓人有走進另一個國度的錯覺，一直站在「非台北觀點」的龍應台更是有著深刻體會，因此她的觀照面也跳脫了「從台北看天下」的層面，希望與台北市以外的縣市進行「資源互享、平等互惠」的交流對話。這樣的「疏離」概念更進一步延伸，龍應台更希望顛覆台灣媒體與民眾長久以來以「從美國看世界」的習慣，應將目光擺到我們身旁的鄰居亞洲國家與城市身上。

這樣的企圖與理念，讓龍應台在上任之初就興起仿照歐洲行之多年的「歐洲文化之都」的作法，每年由一結盟的歐洲城市舉辦文化之都，不僅討論城市間的合作機制，同時將城市的特色與資源串聯起來達到共榮多贏的局面。不過，龍應台在引進文化之都模式時卻沒有預料到，她也將自己帶進空前巨大震撼的政治風暴中，引爆日後喧騰一時、民進黨執政縣市聯合抵制的「亞太文化之都」事件。

暫且按下亞太文化之都所掀起的風雨紛擾，當時龍應台就是從自身長久處在西方主流世界的疏離感出發，希望改變台灣人以往眼睛只看見西方、以歐美爲瞻的傳統觀念，重新去認識在台灣周鄰，文化發展、歷史背景與台灣都有著相似遭遇的國家，同時她也希望以「城市」爲單位，突破目前台灣外交的困境，進行城市交流。

另一方面，龍應台將各縣市的文化版圖都納進來，串聯一起對國際發聲，讓世界明白「台北不只有政治」，「台北不能代表台灣」，用意同樣是從一個南部鄉下長大的小孩，處於首都聚焦光環以外的位置而發想。當她遇見澎湖縣、連江縣、雲林縣等一年文化預算可能都抵不過台北辦一次電影節、藝術節的窮鄉僻壤，「心中總有莫名的愧疚」，因爲她很長的一段時間就是生活在類似的環境中。因此，龍應台企圖透過「借力使力」的方式，藉由台北較爲豐沛的資源與能見度，「把舞台搭起來，燈光打在其他縣市身上」。

為非主流者發聲

台北國際藝術村也是龍應台另一項體現從「疏離感」出發的例子，位於台北市北平東路七號上的國際藝術村，同樣是仿造國外作法，讓各國藝術家可以在此進行短則數周、長則數月的駐村創作，藉著與國內藝術家激盪交流，同時也將台北納入其創作素材中，讓台北不同的面貌更廣爲世人所知。

藝術村在二〇〇一年夏天啓用以來，進駐不少各國藝術家，其中很大一個比例是來自第三世界、中東及亞洲國家的藝術家，像宏都拉斯、波蘭、以色列、韓國、日本等，西歐、美國等國的藝術家反而成了「少數民族」，形成台北國際藝術村一項特色。龍應台的道理也很簡單，台北市民對這些國家的藝術家都很陌生，而他們也常被主流文化所忽略。

另外一個淵源是，有一年，她跟著馬英九前往中南美洲參訪，當她看到在貧困戰亂中的宏都拉斯的藝術家幾乎是在瓦礫堆中創作，卻又展現驚人、豐美的創造力，令她深爲悸動，因此她後來就極力將這些藝術家帶到台北，讓他們一方面有機會到國外看看，同時也向台灣認識這些與衆不同又別具風格的創作作品。

對於弱勢者文化權平等這三年來究竟成就了多少，對此，龍應台有欣慰但有更多的未竟之業。在「兒童」這部分，除了每年八月固定舉行「兒童藝術節」外，對於台北市連一座專業的兒童劇場都闕如讓她頗感詫異，因此她也在社教館文山分館設計藍圖時，特別要求爲兒童規畫一座專屬劇場，在此落成之前，市政府二樓的大禮堂則先行改裝爲親子劇場，藉此推動兒童戲劇。

長期也在受忽略之列的老人文化權，她則是屢屢在每次的活動中，呼籲市民要帶著家中年長的老爸老媽一起來參與，同時她更身體力行，不時就把家住桃園的龍爸、龍媽接來台北，帶他們去看戲，同時也舉辦黃梅調、歌仔戲等傳統戲曲的表演，觀衆群就是針對老人家。

至於龍應台最遺憾的就是「青少年文化」這一塊的空白，也是她這一任來不及施展，但可以是下一任文化局長重大的施政目標。她以英國爲例，英國首相布萊爾二〇〇二年初發表了一份「英國十年文化白皮書」，其中重點的一塊版圖是畫給青少年文化。在這份白皮書中，具體承諾兩年之內要花多少預算補助青少年劇場及青少年劇本，加上全套的計畫讓詩人、作家、藝術家進駐到校園中，推動青少年美育。

同樣的，德國柏林文化廳長來參與文化局所舉行的「文化產業會議」時，讓龍應台印象深刻的是，他在談論柏林文化政策時，「青少年」起碼就提到了十幾次，也就是說，柏林在考慮發展重點與編列預算時，青少年的文化培養受到高度重視。

反觀台灣，先不提是否看到深植扎根的青少年美育養成，單以青少年文化產業就遠落後於鄰近城市如東京、漢城，漫畫、電子遊戲、流行服飾等青少年文化產業，往往只有模仿與抄襲，更遑論在歐美各國強大的青少年文學讀物的生產與消費市場。

因此，青少年這一塊的空白是龍應台任內不及伸展的理念的部分，青少年文化權的平等還是下一個四年的目標。

文化從巷子裡出發

若以區域的文化權來看，也可以看出龍應台用心琢磨的軌跡。例如社教館辦的「文化就在巷子裡」活動，幾次請來明華園歌仔戲團等知名表演團體，她會要求劇團開拔至北投、南港、內湖等台北市的邊陲地帶演出，她希望這些沒有自己的大安森林公園、兩廳院的地區，也能享受到高水準的藝術演出。

不過，這種零星、非固定式的演出究竟能帶來多大的扎根的效果，其實很多人存疑，究其根本是，在民政的區域體系下沒有文化課，而可以作爲社區的文化中心的圖書館則不屬文化局的業務範圍，在缺乏民政及圖書館的系統下，文化理念眞正能下鄉與社區結合不是徒勞無功就是功倍事半，這點龍應台恐怕也只能徒呼負負。

此外，龍應台還史無前例地跳下參與內湖汙水處理廠兩千萬元公共藝術案的規畫案，以往文化局只站在「審議」、「核准」規畫案的把關角色，在這個案子卻是她帶著準備投標的藝術家、廠商，前往內湖勘察可能設置的地點，說明文化局的理念與期待。原因就是她希望爲文化資源薄弱的內湖盡一些力，透過這個金額龐大的公共藝術規畫案，及她的親自操作、「監工」，讓內湖灑下文化種子，而不再是只有工業區與住宅區的文化沙漠。

在龍應台三年的作爲中，幾乎都可以找到過去她的「疏離經驗」所留下的痕跡，她努力地在走一條非主流路線，突破許多過去想當然爾的思維模式。例如中秋樂宴、台北藝術節，文化局以企圖顚覆傳統的方式：中秋節不辦烤肉改以藝術欣賞、將庶民歌謠提升至整個藝術節主軸，捨國際就本土，投入大量資源在社會非主流的文化意識上，當然是辛苦且艱難，自也引發主流價值的質疑。

又如，市府每年年終照例舉行的耶誕晚會，由馬英九率領局處首長與民眾一起倒數，但龍應台年年缺席，因爲她認爲，像耶誕節、萬聖節等直接從西方移植到台灣的節慶，「對台灣民眾而言，只有上頭熱鬧的儀式，底下根本是空的」，這些節慶的產生有其宗教背景與文化氛圍。她曾向馬英九表達她的想法，但由於這項活動已相當受市民歡迎，許多民眾都會期待歲末時前往市府廣場歡度耶誕，因此，龍應台只採取「消極抵抗」的方式，成爲團隊裡的「不合群」份子。

龍應台對於自己所堅持的理念、標準向來自信，她不能認同市府舉辦這種沒有文化深度的晚會，當然更不願屈就自己、出現在舞台上。但從另一方面角度思考，市府舉辦「主流、通俗」的活動不能只停留在「譁衆取寵」的層面上思考，畢竟政府的稅收來自普羅大衆，市府舉辦活動當然要觀照最大群的市民。

不過，不論龍應台堅持的「疏離路線」成功與否或達到多少效果，起碼她給了台灣社會一個迥異的思考方向，讓同意與不同意她的人，都有機會有所辯論與反思，未嘗不是件好事。畢竟，奇花異果的存在是多元社會裡的必要。

龍應台曾經形容三年來文化局一直是「一面做機器、一面推出產品」，處於「施工中」的狀態，因此，留下的未成品恐怕比成品多得多。文化是百年大業，做爲開創者的角色，龍應台想的、計畫的永遠比眞正做的多，她常掛在嘴上的一句話：這些都是「十年計畫」，三年能做的實在太少了。龍應台的心中的確有許多來不及推動的未竟之業，期待下一任還有往後的文化主政者來接棒完成。

制度的建立

龍應台相當重視「科學精神」，她認爲下四年該做的是繼續制度的建立，過去三年，龍應台花了不少心力，小至古蹟指定流程、藝術村營運管理，大至全面修訂文化資產保存法、擬定公共空間收費辦法、樹木保護自治條例等，雖然這些很難在預算書或媒體上展現，卻是「良心事業」及重大的基礎建設。

所有公家機關幾乎都會走上同樣的輪迴，草創時，一片朝氣凡事新鮮，但久而久之就會變成一個官僚機構，每個人都是大機器裡的小螺絲釘，每天轉轉就會回家，這是無可避免的宿命。因此，龍應台希望在「官僚化」之前趕快建立制度，一旦制度完備上軌道，即使每個人只是發揮小螺絲釘的功能，至少還是往對的大方向前進。身為掌舵者，她的工作就是「把骨架撐開」，將來不論誰來當局長，都不會是從頭開始，有一套運轉的機制，在既有的基礎上運轉，往前邁進。

龍應台認為，文化建設是百年大計，畢竟和工務單位造橋鋪路不同，理想性格要盡量保持，有點近乎宗教情操，要捧在手掌、心底的一個角落，絕對不可缺少。理想要溫柔以對，但工作卻應有科學的冷靜。文化藝術是浪漫不羈的，但文化行政是科學，要有科學基礎、數據、方法，做出來才是有品質的文化。

最浪漫的那頭是藝術家，但是如何讓這位創作者有生活的保障、思想的自由、創作的誘因、發展的機會，進而培養出一代又一代傑出的藝術家，就是文化行政者的職責，這部分講求精準、掌握資訊、講求策略，才可能深耕出讓百花得以齊放的土壤，「藝術與藝術行政、文化與文化行政，根本不是同一回事」。

文化行政者的工作是種樹而不是種花，種了樹可以慢慢茁壯、帶來綠蔭沁新，花開凋落得年年再來一遍，永遠無法常紅綻放。「樹長大後會有人來樹下寫詩、唱歌、打盹、作夢。樹上蘋果掉下來打在頭上是浪漫、驚喜的一刻，但那是對乘涼者而言；對種樹的人來說，工作是辛苦的，要知道土壤對不對，要加都多少有機肥，種什麼樣的樹需要什麼樣的光照，測量一年有多少下雨的機率，還要研究如何防止病蟲害。種樹的人跟來樹下唱歌飲酒的人是不一樣的。科學態度一定要有，科學的最後與目的是要創造浪漫，為了讓別人來享受。」

不過，她時常感嘆，行政者不懂體會文化人的細膩，文化人不懂尊重行政者的專業，是身為文化行政者的她這三年最常感受的痛苦拉扯，各占一方的兩邊卻是得一起共事前進，經常有扞格、互絆的情況。「什麼時候這兩邊能夠拉在一起齊步而行，我想，文化建設就成功了一大半」。

文化科學化

這三年來文化局相當大的一塊餅是擺在補助藝文團體上，但不只外界批評，連龍應台自己都發現，文化局的藝文補助沒有焦點，呈現散彈式而非目標明確、集中火力，也是她自承沒有做好的一件事。關鍵在於沒有科學數據做為基礎，成了雨露均霑式的平等補助，無法找到那一項才是重點扶植的正道，更別冀望透過藝文補助來推動文化政策。

在龍應台的想法中，文化政策的科學研究是一個有待開闢且不可缺少的領域，施政不是「憑印象」，必須透過明確且科學的數據來導引方向，也是建立所謂的文化指標。什麼是文化指標？在許多先進城市，不論是倫敦、巴黎或柏林，都有專責機構進行文化統計調查，了解城市的文化產業、產值，然後訂定指標出來。

例如：這個城市中六十五歲以上市民占全體市民的百分之幾，其中的文化設施又有多少是讓這些人使用到？一家四口月薪兩萬以下的，平均一個月買幾本書、幾份雜誌、聽幾場音樂會等，文化消費行為為何？或者是再進一步，這城市欣賞音樂會的人口有多少、看芭蕾舞的人口有多少？什麼樣的年齡層進什麼樣的博物館？台北市主計處的統計類裡有民生消費指數、市民人口組成、車禍傷亡人數等，唯一與文化沾上邊的是教育統計數字及出版業，其餘專業的文化資訊全都付之闕如，更遑論台灣其他縣市及中央。

令龍應台更大吃一驚的是，很多人會將「文化」理解成不過就是「唱歌跳舞」，事實上整個體育、觀光、都市景觀都與文化息息相關，一般人眼光僅停留在狹隘的面向上，還忽略了文化背後的寬度與厚度。再者，一個人站在台前唱歌，燈光照下來，這當中拉出來的是一條龐大且複雜的生產線，必須有人塡詞譜曲、經紀制度、售票管理等，並不是只有台上唱歌、台下鼓掌如此簡約的關係，這當中就是一個文化產業的呈現。

又例如文化局在規畫一千五百席的音樂廳，若是沒有任何基礎調查、研究，如何得知這樣一個音樂廳能服務台北市兩百六十萬人口中的百分之幾？又是那個年齡層的百分之幾？青少年呢？身心障礙者呢？老人又有多少？如果沒有任何數據，憑什麼建音樂廳或任何文化設施，為什麼是一千五百席而非三千席？

這三年來，文化局的預算結構中，有百分之幾用在培養本地的創作人才？扶植了多少本地的作曲家？演奏了多少本土作曲家的音樂？這些問題都很難找到答案，因為沒有科學的數據可供參照。

建立文化指標更深沉的用意在於，公家資源、時間如此有限，如果有一百項文化項目需要扶植，卻只能選擇十五項，優先順序如何排定？哪些是燃眉之急、已到危急存亡之秋且對國家發展有重要意義，哪些不那麼急迫可以等待，或是民間自身能夠有力量投入。再者，台北本身所統計出的文化指標，還要與上海、東京、漢城等城市做爲比較值，了解自身的優劣勢所在，來訂定發展扶植的策略與順序，

「因爲文化局用的是納稅人的血汗錢，這裡面有市場賣菜的小販、工地裡的勞工，還有像張忠謀這樣的企業家，而文化局被託付的責任是重新分配這些資源；重新分配就必須要有科學基礎，不能憑個人喜好、直覺。」文化指標觀念的陌生與從零開始，在龍應台看來，這代表國家在文化建設上的落後，因爲這是廿年前就該開始做的事，而她，也只能起個頭，剩下的，恐怕得在下一任局長身上繼續下去。

文化發展基金會的設置

文化發展基金會其實並不是一個新的構想機制，早在前市長陳水扁時代就曾運用市府預算成立並運作，後來由於有議員質疑文化發展基金會與陳水扁所創立福爾摩莎基金會之間帳目有所牽扯，最後在一九九八年市府改朝換代後不久解散。

龍應台之所有再興起這個想法很重要的一個導因，是在二〇〇〇年七月間，當時她爲了台北市將在八月舉行第一次的兒童藝術節，帶著多位文化局成員及承辦兒藝節的單位前往宜蘭童玩節取經、觀摩。

在參訪的過程中，縣長劉守成表示，宜蘭縣是傾全縣之力來舉辦童玩節，而不是單由文化局或單一局處來主導。透過縣府所成立、由縣長擔任董事長的文化發展基金會統籌指揮，底下的成員就是各局處首長，各司其職也相互配合。

如此一來，最大的優點是，由縣長直接發號，能靈活調配各局處及預算，不致因本位主義產生各行其事的狀況。由於有一套上軌道、具公信力的募款機制，再加上童玩節這幾年舉辦下來的成功經驗，產生強大的吸力，募款根本不成問題，在良性循環之下，基金會也就愈形茁壯，運作、動員更加容易。

宜蘭經驗深深撞擊了龍應台，她期盼著，倘若台北市可以建立一個類似的文化發展基金會，就像一張大傘底下有分支的基金會，可永續發展所有的文博館所、經營台北藝術節、電影節、詩歌節等，也用這個基金會去全面培養創作人才、推動藝術家交換、維護古蹟、發展公共藝術等，那麼文化局所面臨的許多困難與力有未逮等，都能獲得解套。

龍應台認爲，其實，前市府時代的文化基金會是一個很重要的基礎，她一直希望能夠好好整頓、重新運作，由市長或文化局長來擔任董事長。至於外界質疑的募款及監督機制，會不會變成「左手出、右手進」裁判兼球員的弊端？龍應台的想法是，只要訂出透明公開的辦法，就能服眾且杜攸攸之口。

其實，歐洲許多城市文化局組織內就有公關和募款部門，募款一方面固然是爲了彌補公家預算的不足，一方面，也是在提供企業家回饋社會的管道。中國傳統的觀念向來有錢就投入慈善，成爲「大慈善家」，爲自己和子孫「積陰德」，究其源，其實還是站在「利己」的角度。當企業募款和捐贈能夠提升到文化回饋，不是爲己，而是爲了改善社會，這更是一種觀念的躍升，比較接近公民社會的精神。

除了有透明的機制、堅強的團隊，龍應台還希望，不只要促使大企業家進行文化投資，更要創造誘因讓中小企業，例如美髮公會、屠宰公會等，都學會文化捐贈的觀念，爲藝文界開拓資源。

但說是容易，由市府成立文化基金會因爲牽涉到複雜的機制與修法，再加上前市府文化基金會所留下的爭議與陰影尚存，這個想法和遺憾一直存在龍應台的心中，成了她這一任來不及完成的夢想。

文化權的平等

文化權平等這個概念可以貫穿龍應台三年來許多施政的主軸，是她追求的理想，卻也是她起了頭還沒來得及塡補的一大塊。台北，雖然是一個文化資源豐厚、藝文活動蓬勃的城市，但多數的訴求與「接近權」都是落在中產階級的青壯年身上，對於兒童、老人，以及沒有投票權的青少年都極爲欠缺，也是龍應台相當在意的部分。

對於台北連一座專屬兒童的劇場都闕如，令她相當吃驚，更別提其他爲兒童所設計的文化活動。因此，她除了每年暑假固定舉辦兒童藝術節外，她也特別要求目前正在動工興建的社教館文山分館中，必須規畫一座兒童劇場，另外，市府二樓也改裝成親子劇場，也試著推動兒童戲劇，以塡補這塊的不足。

至於老人的文化權，也有遺憾的空白處。她一直感慨，台北許多退休老人是每天關在家裡看上十幾個小時的電視，因爲沒有適合他們的場地與活動。目前，台北社會福利只能做到照顧老人的生理，對於他們的心理需求卻相當漠視，更遑論是文化權的接近，因爲老人在社會上是絕對弱勢者，一般來說，國外先進國家，再小的村子和鄰里都有游泳池、足球場、圖書館等多元化的設施，讓不同年齡層的人各取所需，即使在首善之都，這部分都還是個理想。

而龍應台最在意無法關照到的就是青少年文化這一塊版圖，她心理一直認爲這將是下一任局長重大的施政目標，相對於國外對青少年美育的重視與推廣，台灣簡直蒼白的可怕。她認爲，任何一個有遠見的國家，不會忽略要讓創造力在不同的年齡層煥發，而非僅集中在某一階層、年齡。

另一個深遠的眼光是，台灣的藝術欣賞人口一直未能有效拓展，很大的一個因素是，台灣的孩子從求學到青少年階段，並沒有太多、大量接近藝術的機會，美育的種子沒有播下，又如何期待當他們成人有了獨立經濟能力，願意成爲樂於消費的固定藝術人口。

英國文化政策計畫之一「新觀衆計畫」，裡面設定明確目標：一年內要有一百萬個青少年變成欣賞人口，一年內要協調一百個以上的展演場所加入這個計畫，以政策來拓展青少年欣賞人口，是英國白皮書裡很重要的一環。如果在文化深厚的英國，都還將開發新觀衆列爲重點項目，那麼在文化建設還是「洪荒元年」的台北，其迫切與根本性更是不待多言。

龍應台還提到，英國還有項計畫「二〇〇二多元化」，把大量經費補助英國的黑人與亞裔藝術家，因爲他們是資源弱勢者，其次則是身心障礙藝術家，體現的正是文化權平等的精神。在龍應台眼中的弱勢不只老弱婦孺，還包括客家、原住民、眷村、同性戀者等，研究如何透過聰明又合理的補助機制，將資源重新分配，達到文化權的平等，仍待完成。

台北的未來

總結而言，龍應台認爲下四年該努力的大方向有幾處：首先，「文化與國際要結合」，當中包括文化觀光、城市行銷、「台北學」的推動，進行台北的文化外交。龍應台認爲，「配合國家、政治的文化政策往往是傷害，」台北的優勢是可以不管國家、國旗，專心做城市外交，打開這一扇窗，「只有懂國際的領導者才能在台灣目前的外交困境有突圍的可能。」

其次，「文化與產業的結合」也是重要的一環，五十年來台北是華文城市中出版業的火車頭，如今逐漸被上海、香港等城市超越，流逝之迅猶如大江東去，包括翻譯業亦是如此。僅剩的就是流行音樂產業，如何去保住？新的產業，如設計產業、應用生活美術、電影產業，又如何去保有成長？

再者，「文化與教育的結合」，龍應台發現，無論是中央的文建會或民間的國藝會，或是回頭看看文化局本身，基本上，眼中只看到「成年人」，兒童及青少年文化發展沒有得到應有的重視，是相當危險且短視的事，國家的未來在哪裡，廿年後怎麼辦？

不過，龍應台也坦言，台北的孩子被學校課業占去太多時間，「根本找不到隙縫可以插進去」。目前，文化局慢慢地去推兒童戲劇、兒童劇場，同時要與教育局合作，培養「文化校長」，透過駐校藝術家、美育課程的灌溉、扎根，讓台北的孩子能夠從小就能接觸藝術，長大後成爲藝術消費者，擁有美學的眼光與涵養。

除了要讓文化滲透到教育裡，還要「文化與社區結合」，眞正的文化扎根除了幼小的孩子，同時還要進入最小單位中的鄰里社區，才有生根茁壯的可能，否則永遠是煙火式的曇花一現。

三年前，龍應台的大兒子安安前來探望當時正爲文化局籌備工作忙得焦頭爛額的母親，坐在車裡的安安脫口而出「台北好醜，不是因爲窮而是沒有品味」，這句話引起不少共鳴，也讓龍應台深思許久。因爲，城市的整體景觀同樣是文化的一部分，龍應台說，三年的時間太短，而文化局也只是市府卅個局處裡的「卅分之一」，對於城市裡的建築、路樹、鐵窗，很難在短時間裡看到改善。但她慶幸的是，至少在她任內，改變把過去動不動就把外界捐贈的「公共藝術」（其中多數是龐然的雕塑品）「砰！」地就擺在「眼睛逃也逃不掉的地方」，擬定了「民間捐贈公共藝術審查要點」。

如此一來，民間若欲捐贈公共藝術，就須先將計畫送至公共藝術委員會審查，委員會將針對捐贈物的適當性、美感、設置地點、民眾反應、維護管理等進行把關，以決定是否接受捐贈，台北街頭才不至於到處充斥突兀、不知所云的公共藝術品，破壞市容美感。

跳出台北，把鏡頭拉長至整個華文城市，龍應台認爲「自由」是文化蓬勃發展必要的土壤，更是台北的競爭面對國際的優勢。以新加坡爲例，它並非是純以華語的城市，香港亦然，同樣都有養分不足的劣勢，雖然這些年許多大陸人士移入，但仍多屬庶民前往討生活，而非精英份子。

反觀台北，就像歷史上許多受惠於戰亂離散的城市一般，五胡亂華人才大量南移，造就南方文化的豐富，同樣的，民國卅八年大量軍公教人員自大陸南遷至台北，帶來了養份厚度與豐富的文化。因此，台北仍是華文城市中土壤最健全、質地最豐富的區域，如何保持台北優勢讓藝術百花盛放，則是未來台北文化發展的重要願景。

是岔路還是終途？——專訪龍應台

這輛車是我來之前就已做好，上路之後才發現缺個輪子、方向盤可以往左不能轉右，但我慶幸：它不僅能跑，還衝得比我想像的快。

——龍應台

在外界一片訝然與「撐不過三年」不看好聲中上台的龍應台，很得意地又做了一件讓大家「預料外」的事，在三年任期即將屆滿之際，龍應台早早釋放「大家來跟我推薦下任局長的人選吧！」的風聲，剛開始，大家都以爲她只是玩笑一句，後來講多了，大家發現「她眞得認眞呢！」於是又開始展開「再做一任」、「恭喜解脫」的拉鋸戰。

「對於一個來自另一個宇宙，內在需要大宇宙的人，是不可能久留的。」未曾鬆口留任的龍應台道出她內心意念。當初馬英九千里路迢、登門求才把她「從書齋帶到官場」，看中的無非是她的「開創」性格，但是，這樣的人格特質是一刀兩面，無法兩全，「當這個人有高度開創性，另一方面，就是要承受他的高度不穩定性。」

理智上她很明白，她這樣理想濃度高的開創格局，的確應該持續下去，畢竟三年能打下的基礎猶如捧在手心的瓷器，脆弱得不堪一擊，她應該留在這個位置上再把根基紮厚，否則就是「爲德不卒」；但另一方面，她是一個需要極大內心空間的人，就像她曾爲文自承的「就像一匹野狼，不能沒有牠空曠的野地和清冷的月光」，完全失去、毀滅自我的公職生活，讓她無法再熬四年。

在龍應台的文化界友人中同樣也分成兩派。南方朔認為，龍應台應該責無旁貸地延續她的思路與方向，他直言「古人立德、立功、立言」，「立言」被擺在最後，能夠立即改變社會的只有靠國家機器賦予的權力，寫作可以是一輩子的事。夏鑄九更是毫不考慮地說：「沒有人會願意來接妳的位置，妳別傻了，要我們推薦誰，肯定是找不到人的！」

不過，龍應台另一派的文人朋友則認為，她應該走上更高層次的路，回到原來的路上，把這三年當做是磨練、補課，「當作是一個浪漫的個體戶一段小小插曲」。而她自己則形容就像火車上的乘客，現在她下了車，跳上另一列火車，只是，「在哪一站下車現在還不知道。」

「歷史人性補習班」

不過，就像三年前八月，王丹的觀察「我沒發表什麼意見，因為看得出來，她當時主意已定」。現在，龍應台絕口不提「離開」二字，但同樣的，她內心已有定見。

三年前，她「預言」這段為官歷程將是「黑暗補習班」，或許可以看作是知識份子在縱身官場前的眷戀及愛惜羽毛的心境。「那時，這句話是用來『嘲笑自己』用的」，因爲，她發現「黑暗」與「光明」是同一件事，「黑暗的背後不就是光明？」

因此，她認爲用「歷史人性補習班」才是更加貼切，這三年來，讓她看清了自有人類以來，人性的本質與結構，而且，她更加相信「人是可以影響歷史的」，但她也承認，歷史總有命運，並非一己之力可以幡然扭轉。對於官場來去，她的體悟是：「政治是髒亂的，從政是高尚的」。

她形容自己以前「只看到鐘錶表面的刻度，如果走得慢會急，卻不懂內部運作」，現在，她「把錶拆開」仔細看裡面的鍊條、齒輪結怎麼走，過去是純知識的理解，現在是實務上的認識，「既保有充沛對人的關心，且對人理解的能力。」

她曾說過，她的工作就是要在「沙漠種出玫瑰」，三年過去，玫瑰可曾綻放？她沒答案，現在是「文化洪荒元年」，得一點一點、刻度從頭開始，文化不是以三年、十年做爲刻量單位，最小的單位要用百年計算。

龍應台形容，文化局就像一輛別人做好的車交給她來駕駛，在她來之前組織架構都已定下，她駕著這輛車萬般艱難地駛上滿布礫石的沙漠，車子的缺陷很多、跑得很辛苦，不是少了輪子就是方向盤不受控制。不過，龍應台在沮喪之餘還是語帶「感恩」地說，幸好是一輛車而不是「半輛」、起碼車尚能發動跑得了，雖然是跑得氣喘嘘嘘、歪歪扭扭得要邊走邊修，至少能「邊修邊走」，「里程數還是累積了一些」。

龍應台說，這「荒野中的一輛車」之所以還跑得動，靠的是文化局四個業務科的「四輪傳動」，雖然四個輪子有的轉得快、有的轉得慢，但各自都留下不同或深或淺的軌跡。彎下身從一個輪子一個輪子來檢視，看看它們走的來時路，或許可以容易看得出三年來這輛車跑過什麼地方、未來方向往哪裡去。

讓自己的文化被「聽見」

第一個輪子是朝外發展，走的是「國際城市與國內各縣市藝術文化交流」路線。一科應該算是文化局業務中「能見度」最高、市民印象最深的部分，這當然與龍應台的背景及經歷有直接且關鍵的影響，龍應台之所以如此重視「國際化」，背後有一個很重要的文化思維存在。

「一國國力的呈現與首都的實力很有關係，而一個『城力』的呈現有一個很重要的指標——用別人聽得懂的語言與方式，讓自己的文化被『聽見』的能力有多少？」

龍應台回到歷史的脈絡上去看，一百五十年前鴉片戰爭時代，那時比的是「船堅炮利」，船走得愈遠國力愈強，「就像鄭和下西洋任務也是宣揚國威」。到了廿世紀，取之而起是「文化帝國主義」，「爲什麼我們一生下來就受到歐美的文化影響？」龍應台拋出問題，她的答案是「因爲這些國家具有巨大的文化力，強大到用各種手法讓世人不能忽略它的存在。」

龍應台以美國紐約市爲例，所有人可以上網查到該市的所有訊息，有多少公園、每個人平均的綠地又有多少？一個紐約市民門口一棵行道樹枯死了如何處理，上網後會有幾千幾萬條的資訊告訴使用者相關的申辦手續、一路到該市的植樹政策、文化政策；即使是德國一個一萬多人小得不得了的村子，使用者也可以在網路上查到當地博物館、美術館的展出與活動。「反過來看，國力相對弱勢的國家像印度、埃及，又有多少人眞正認識、了解？」

龍應台說，這就是她推動國際藝術村、交換藝術家與「台北學」的研究背後的動機，讓台北用「別人聽得懂的語言」加上現代的科技，讓世人了解台北，包括台灣的文化內涵、政治、歷史、宗教等，還有內部的感情與矛盾，這也是爲何南韓要大力爭取世足賽，爲的就是讓世人不只看見還要深度認識這個國家。

她形容，台北就像是一顆密實的外殼底下包著豐厚果肉的栗子，三年來她一直在「學習打開的方法」。至於台北究竟被「看到」多少？龍應台提到她最近的一個觀察："Lonely Planet"（寂寞星球）是一個發行全球具有指標性的旅遊書出版公司，主要針對自助旅行者所發行的旅行指南書，該公司在成立多年後，最近終於出版以「台北」爲主題的專書，書中對台北下的「評語」是：「全亞洲最難打開、認識的城市」，裡面介紹的文化景點還是只有「故宮」一處，「呼，這代表我們還有好長一段路要走」。

同時，她也回頭要求文化局的人員：「文化政策、行政一定要有國際觀做爲基礎，因爲這是全球化的時代，沒有人可以關起門來作政策。」她認爲，國民沒有國際觀，政客就不會有國際觀，永遠是閉門造車，無法與國際城市進行貨眞價實的競爭。

她期待文化的事務官一定要認識國際的文化版圖，眼睛一望出去就看見釜山、東京、香港、澳門、新加坡、巴黎、紐約，只有知彼才能知道台北的地位和條件究竟是落後、居中或超前，帶著這樣的知識才能訂出策略。「國際觀的建立是一個文化官必備的基礎。你要了解國際，才懂得怎麼樣讓台北在國際文化版圖上，落落大方地站起來，讓別人看見你，讓別人欣賞你」。

巷子裡的珍貴史蹟

除了試圖駛進國際，第二個輪子的軌道就是走在古蹟與傳統藝術等文化資產保存上。這部分是屬於「隱性」的工作很難立竿見影。龍應台相當坦白地說，台北市現有一百多處古蹟，「大部分是爛的」，而對古蹟的觀念，三年前還是停留在「看到老房子就拆」的推土機心態。

龍應台還說了一個故事，兩年前她到瑞典進行考察，她曾向瑞典文化部長請教該國首都的「古蹟保護政策」，卻讓她得到一個既驚訝又感慨的答案，「我們沒有，爲什麼要訂『保護政策』？」瑞典文化部長顯然比她還要震驚，瑞典人都是以住在古蹟裡爲榮耀，別提政府定法律保護了，住戶可是每天都在東修修西補補，維護建築的美觀，在這樣的歷史條件下根本不需要任何的保護法令，起跑點的不同也造就了東西方對於歷史古蹟觀念的大相逕庭。

不過令龍應台欣慰的是，這三年來在古蹟觀念的滲透上有很長足的進步，不論是民衆或民意代表，例如先前大安區位於龍門國中預定地上的市定古蹟黃宅濂讓居，因爲施工單位不當險些破壞古蹟本體，引起議員的高度重視，雖然龍應台因此被議員請上備詢台炮火連番，「其實，我心裡是感到很安慰的。」

龍應台說，如果說一科的任務就是要讓世界認識台灣，二科就是要讓市民認識自己的土地，「每一段的歷史都是從自己的巷子出發」，所以龍應台去修老房子、老巷道，把一間間的名人故居再恢復起來、去搶救古蹟，爲的就是要告訴居民：這裡曾有過的歷史有多麼重要、特殊，不要任意輕巇自己的過去，必須自重後別人才會重之。

這些具有特色與歷史的老街、老巷、老宅，以英文、日文、法文介紹出去，讓外國人走進來認識台北，因此，「在我的眼中本土與國際根本是同一件事而不是對立的事件。」

至於第三個輪子就是要厚植出一片適合藝文團體百花齊放、爭奇鬥豔的壤土，重點在於對專業藝術文化輔導與推廣。龍應台認爲，政府不應主導藝文發展的方向，而是要創造藝文發展的環境。她的原則是，凡是私部門能做、做得好的，公部門就不要進去，不要與民謀利。公部門要做的是私部分無力、無意，但對國家藝術發展有益的部分，去補助去扶植，「這三年不會看到文化局去扶植或合作舉辦『流行音樂』，不是因爲不重視，而是讓原本就蓬勃發展而且做得很好的民間去做。」

而對藝文團體的補助是文化局裡最大項的業務，龍應台說，爲的是創造藝術環境，把民間的力量培養起來，因爲文化本來就處於邊緣位置，因此一開始必須強勢地改變過去不具文化思維的法令、理念，「是個衝鋒陷陣的革命家」。

但她也提醒往後的文化局長及市長不能忘記的是：「現在的強勢目的爲了是日後的弱勢」，政府文化機構的首要任務是培植民間力量，等民間力量夠強大，文化局就應該能退縮成「小而美」的政府機制，發揮輔助性質的「槓桿原理」，一挑就能把大樓甚至世界挑起來，「這是一定要走的路，文化發展最怕的就是沒有反省、缺乏自覺的過度強大的政府文化機構」。

最後的一個輪子就是牽涉到整個城市景觀，也就是公共藝術推動與社區文化紮根，這部分龍應台不得不承認「起跑點很落後，跑得很慢。」她說，最近紐約市宣布，今年八月分起在全市的各個角落將設置三百多隻救難犬塑像的公共藝術，以紀念「九一一」恐怖攻擊事件，對於國外而言，公共藝術已經進入平時生活的語彙中，這一點，在台北卻是力有未逮。

對於公共藝術，龍應台這幾年來則是一直鼓吹「減的美學」，因爲合宜的公共藝術設置，對於城市美化有著畫龍點睛的效果，但突兀的公共藝術卻也對於城市風貌影響至巨；文化局曾就現存八百多件公共藝術進行調查、登錄，並進一步對八百多處公共藝術開出診斷書。龍應台說，其中有些對於景觀只有減分效用，還有些雖然美好但卻年久失修，甚至於根本與環境格格不入，就考慮取消。

龍應台指出，公共藝術最重要的是其和人以及環境的互動關係，她舉每年舉辦「國際巴哈音樂節」的德國安斯塔德市爲例，十四世紀時曾發生被流放的王子遭謀殺的懸案，在德國，此事就有如中國民間故事中的「狸貓換太子」一樣知名，而在當地一個老公園裡，竟然有一座垂著頭行走的人物雕像，雕的正是那位遇害的王子。她說，這樣與城市記憶有關的創意，讓城市更有名。在台灣，對於公共藝術觀念的革新與滲透同樣還是需要一段長路要跑。

對於文化走進社區進行紮根工作三年來的成效，龍應台不諱言地說，「非常不滿意」，主因在於文化紮根前需要深耕，但文化局手上「工具不夠」。龍應台說，不要說以「五千人一里的單位」了，就是在台北市十二個行政區都應有自己的「兩廳院」、「大安森林公園」，文化局一直苦於沒有基層推動的窗口，即使把藝術帶到巷口、邊遠地區，但戲落幕了、燈光滅了，一切又畫上句點。

令龍應台相當振奮的是，經過兩年的努力，最近市府決定在各區的區公所底下增設「文化課」，且可以採約聘雇用的方式對外吸引專業人士進駐，如此一來，將來文化局在推動藝術走入社區多了據點與種子，亦即，文化局不僅要和教育局密切合作，把藝術帶進校園，未來還要跟民政系統區公所的文化課「聯手」出擊，讓由上而下的文化投資，可以透過各區的「文化站」負責把文化的種子播下、澆灌進而開花結果。

但不可否認的，這輛車在設計上有其先天上的「缺陷」？龍應台提了兩大致命傷：「資訊」與「工程」專業人員在正式的編制上是「零」。龍應台說，台北要被「打開」有一個很重要的「介面」就是現代科技，文化人要培養國際觀，吸收新知這部分更是不能或缺的助力，但她卻遺憾地發現資訊化的重要性，當初並未被規畫在文化局的組織版圖中。

另一個更嚴重的問題是，文化局手上有一百多處古蹟待修、待補、待審，但文化局裡卻連一個專精工程、審圖的人員都沒有，因此龍應台只能到處向捷運局、發展局借將，其處境之困窘可想而知。

「正常的過程是先招募員工，製成機器，建好廠房之後再出產品。台北市文化局做爲全國首開先例的文化行政機構，卻是一面招募員工，一面建設廠房，一面打造機器，同時，成品一件一件推出。」

這是龍應台在文化局成立一周年前夕寫給文化局員工的一段感言。文化局走了三年，未完成的恐怕要比成品多，因爲文化局得以「百年」來計算，三年時間能做的是先撐開骨架，待日後的主事者再來塡補血肉。

不過，即使只是「百分之三」的刻度，可以肯定的是，在未來研究台北史的人應該會在台北的大事紀上讀到：一九九九年十一月六日台北市文化局於徐州路市長官邸舉行成立茶會，由作家龍應台出任首任文化局長，成爲全台第一個地方文化事務專責機構。

附錄

當本土文化放出光芒——寫在台北市文化局成立前夕

龍應台

二十世紀末的台北，看起來已經是一個國際城市。耶誕節有狂歡舞會，歲末有分秒倒數、香檳酒四溢。街上走著頭髮金紫紅綠的少年，南瓜和化裝遊行點綴著萬聖節，每條街找得到日本料理。但是台北，是不是一個國際城市？

我想它不是的。它把耶誕節的喧鬧移植進來，卻移不進藏在喧鬧下的宗教情操；它把龐克髮式移植進來，卻帶不來髮式下對制式思維的質疑；它把萬聖節的狂放移進來，卻體會不了狂放下原有的秩序和自律；日本飲食背後蘊含的專業與細緻也被排除在日本料理之外。台北的國際化只是表象的拼點。

而台北的國際表象來源極狹窄：美國和日本。美國和歐洲之間存在著巨大的差異，卻被習慣地視為整個西方文化的唯一代表。日本之外的亞洲國家，不管是印度或者泰國，很少人有興趣。非洲的殖民史和台灣史其實有許多共同的艱辛經驗，少有人理會。中東的回教文化在下一個世紀中將扮演什麼角色，歐盟統一對美國霸權挑戰會帶來什麼樣的新秩序，這個新秩序將對我們造成什麼樣的衝擊，了解的人不多。一個文化若是沒有自己獨立的國際觀，就是一個附庸性格的文化。

台北的國際表象還有一個特徵：美日文化單向輸入，卻缺少本土文化的輸出。從形而上的哲學和藝術到形而下的汽車與飲食文化，美日籠罩性的影響無所不在。相對之下，台灣文化在國際上卻微小得看不見。台北的國際表象仍有「被殖民」的弱勢文化色彩，被動接受的多，主動給出的少。

那麼，如何才是眞正實質的國際都會呢？倫敦、巴黎、羅馬的城市史淸楚地告訴我們：沒有一個國際城市不植根於自己的本土文化。大倫敦吸引了全世界的旅人，因爲它有狄更斯、華茲華斯、奧斯汀、布朗寧——這些人，是倫敦的本土作家。巴黎成爲國際的藝文中心，因爲它有羅丹、馬蒂斯、雷諾瓦——這些人，是巴黎的本土畫家。羅馬是一個國際的文化重鎭，因爲它有米開朗基羅、達文西——這些人，是羅馬的本土藝術家。當本土文學家、藝術家和思想家的作品，在品質上達到最成熟卓越的時候，它就成爲國際的文化寶藏，自然而然地向四面八方發出光芒。

國際化的開始，就在本土文化的深耕厚植。可是本土文化要達到成熟卓越有一個必要條件：它得有百川不拒的包容氣魄和寬宏視野，因爲所有外來的文化對本土文化都是撞擊、刺激、競爭、影響。本土文化需要外來文化來茁壯自己。我們的歌仔戲可以成爲國際尊重的表演藝術，只要它能在藝術創作上登峰造極，而在藝術創作上登峰造極，它必須有一個多元的環境；西方歌劇、日本歌舞伎和能劇、中國大陸各形各色民間傳統戲曲……都是歌仔戲觀摩和競爭的對象。可是如果本土文化被壓縮成一個狹義的、排他的本土，這個文化不太可能有高的境界。源源不斷的，方是活水。

有一天，也許台北人重新找回自己節慶的內在韻律：七夕連著中國人含蓄的愛情表達，中秋連著中國人自己的倫常關係，春分冬至連著農家對季節和泥土的愛戀與敬畏。有一天，也許台北人重新找到自己的傳統與神話：原來廖添丁比羅賓漢還傳奇，郁永河比魯賓遜還浪漫，周夢蝶比披頭四還顛覆，媽祖的慶生祭典與羅馬教堂的盛宴一樣美麗而崇高，朱熹誕辰八百年比歌德兩百五十週年還重要……有一天，也許台北人發現，走在敦化南路欒樹綿延的人行道上時，這個城市，因為有共同的記憶和歷史，因為記憶和歷史在生活中深深沉澱，沉澱成文學和藝術和戲劇，它散發出一種光芒；這種光芒，巴黎的香榭大道有，倫敦的泰晤士河岸有，紐約的公園大道也有。

【一九九九、十一、六、《聯合報》】

錢穆故居開放——歷史的諷刺，難以迴避！

龍應台

將來研究台北史的人會在台北大事紀中讀到；民國九十一年三月廿九日，台北市長馬英九與錢穆夫人在素書樓共同植下一株松樹。植松之前，市長鄭重地說明了錢先生從未「占用市產」，並且爲錢先生晚年所受的汙辱正式代表政府向錢夫人道歉。

素書樓草坡上聚集了政府官員、清流學者、媒體記者，還有錢先生的門生故舊。絲竹的音樂流轉，鳥聲也清脆，這是一個風和日麗的暮春午後。

可是我心心裡卻有所鬱鬱不樂。

這算什麼呢？人活著的時候，以最粗暴的方式對待，人死後，再去紀念他尊崇他。這樣的例子，當然歷史上很多，但是在自己的時代、自己的社會中發生，仍然令人覺得不堪。歷史的諷刺，難以迴避。

民國廿六年，在困難如焚、萬里流離中，錢先生抱著稿紙在曠野中奔跑躲警報、在破廟中埋首寫國史，用心有兩重。一是用史實來證明所謂「中國貴族封建二千年皆專制黑暗之歷史」的論述謬誤。他深深認爲，在「貴族封建」的制度背後其實蘊含著相當深厚的理性精神。另一重則是希望透過書寫來補足國民對「歷史智說」的嚴重缺乏。因爲不說歷史，所以政治人物「率言革新……僅爲一種憑空抽象之理想，蠻幹強爲，求其實現，鹵莽滅裂，於現狀有破壞而無改進。」他堅持，對歷史的眞切認識是進步的基本。

素書樓修繕完工要重新開館了，總得有個「素書樓沿革」吧？可是素書樓的沿革是什麼呢？我們今天在草坡上致歉、獻花、植樹、洗刷錢先生的汙名、發願光大錢先生的文化理念，並不能擦掉已經發生過的歷史：這個城市曾經把一個象徵文化傳承的大儒掃地出門，冷眼看他在目盲體衰、老弱受辱的處境中倉皇辭世。

素書樓的沿革其實很冷酷地印證了錢先生最擔心的歷史現象：表現上的「貴族封建」，可能在背後卻有結實的理性運作，而表面上的「自由民主」卻可能隱藏著文化的粗暴與權力的專斷。

「凡對於已往歷史抱一種革命的蔑視者，此皆一切眞正進步之勁敵也。」對歷史蔑視的革命家和政客在進行「革新」時，毀滅的力道可能特別強大。

也就是說，我們的民主政治可能比從前的專制體制更缺少文化的溫柔與深沈，這是多麼令人鬱結不安的印證。

在素書樓的草坡上重展錢先生舊作，發現他在六十三年前就寫過：「革命黨人……只挾外來『平等』、『自由』、『民主』諸新名詞，一旦於和平處境下加入政府，乃如洪罏之點雪，名號猶是，實質遽化。其名猶日政黨民權，其實則爲結黨爭權。」

對於歷史和權力政治既有這樣透徹的認識，錢先生在晚年受辱之時，恐怕心中還是清澄明亮的吧？素書樓所留給我們的卻是無窮的不安：那由於缺乏「歷史智識」而「蠻幹強爲」，而「鹵莽滅裂」的人，太多了。

【二〇〇二、三、廿九、《聯合報》】

寫在千禧年倒數之前——廿一世紀的城市

龍應台（台北市文化局長）：

對於廿一世紀，我希望那個時候的台北，是一個安靜且從容的城市，孩子們醒來可以聽到鳥聲，有公園可以讓他們游泳、踢球，大人也有草木森森的公園，讓他們有時間去沈思、散步、好好看完一本書。

我希望看到未來的婚喪禮儀、舉手投足應對都是美的，因爲如果你問我什麼是文化？我會說，生活就是文化。

回顧過去的廿世紀，我認爲有兩件事爲東方及西方帶來重大的影響。第一件是一九四九年中國的分裂，因而決定了我們這一代及下一代的共同命運；第二件是一九八九年柏林圍牆的倒塌，改變了下一世紀整個世界的共同命運。

網際網路必然會在未來的世紀加強人與人、城市與城市的交流，所以我認爲，民族或國族文化會逐漸淡化，城市文化會逐漸興起。因此，如何使城市成爲文化更爲文化更爲豐富的地方，這是進入下一世紀的重要基礎。

【記者袁世珮整理，一九九九、十一、九、《聯合報》】

文化叢刊
龍應台當官——一位記者的三年採訪實錄

2002年11月初版　　定價：新臺幣200元

著　者　蔡惠萍
發行人　劉國瑞

出版者　聯經出版事業股份有限公司
台北市忠孝東路四段555號
台北發行所地址：台北縣汐止市大同路一段367號
電話：(02)26418661
台北忠孝門市地址：台北市忠孝東路四段561號1-2樓
電話：(02)27683708
台北新生門市地址：台北市新生南路三段94號
電話：(02)23620308
台中門市地址：台中市健行路321號
台中分公司電話：(04)22312023
高雄辦事處地址：高雄市成功一路363號B1
電話：(07)2412802
郵政劃撥帳戶第0100559-3號
郵撥電話：26418662
印刷者　世和印製企業有限公司

責任編輯　邱靖絨
校　　對　陳奕文
封面設計　在地研究

行政院新聞局出版事業登記證局版臺業字第0130號

本書如有缺頁，破損，倒裝請寄回發行所更換。　　ISBN 957-08-2521-9 (平裝)
聯經網址 http://www.udngroup.com.tw/linkingp
信箱 e-mail:linkingp@ms9.hinet.net

國家圖書館出版品預行編目資料

龍應台當官——一位記者的三年採訪實錄 / 蔡惠萍著．--初版．
--臺北市：聯經，2002年（民91）
288面；14.8×21公分．（文化叢刊）

ISBN 957-08-2521-9(平裝)

1.論叢與雜著

078　　91019219